LA NATION BÂILLONNÉE

LE PLAN B OU L'OFFENSIVE D'OTTAWA CONTRE LE QUÉBEC

de Daniel Turp

est le six cent soixante-neuvième ouvrage

publié chez VLB éditeur

et le vingt-troisième de la [illegible]

« Partis [illegible]

dirigée par [illegible]

VLB éditeur bénéficie du soutien de la Société de développement des entreprises culturelles du Québec (SODEC) pour son programme d'édition.

Nous reconnaissons l'aide financière du gouvernement du Canada par l'entremise du Programme d'aide au développement de l'industrie de l'édition (PADIÉ) pour nos activités d'édition.

Nous remercions le Conseil des Arts du Canada de l'aide accordée à notre programme de publication.

LA NATION BÂILLONNÉE

LE PLAN B OU L'OFFENSIVE D'OTTAWA CONTRE LE QUÉBEC

Daniel Turp

La Nation bâillonnée

Le plan B ou l'offensive d'Ottawa
contre le Québec

vlb éditeur

VLB ÉDITEUR
Une division du groupe Ville-Marie Littérature
1010, rue de La Gauchetière Est
Montréal, Québec H2L 2N5
Tél. : (514) 523-1182
Téléc. : (514) 282-7530
Courriel : vml@sogides.com

Photo de la couverture : Josée Lambert

Données de catalogage avant publication (Canada)
Daniel Turp
La nation bâillonnée: le plan B ou l'offensive d'Ottawa contre le Québec
(Collection Partis pris actuels)
Comprend des réf. bibliogr.

1. Québec (Province - Histoire - Autonomie et mouvements indépendantistes. 2. Droit des peuples à disposer d'eux-mêmes - Québec (Province). 3. Relations fédérales-provinciales (Canada) - Québec (Province). 4. Souveraineté. 5. Québec gouvernement - 1993 - . I. Titre. II. Collection.

FC2926.9.S4T87 2000 971.4'04 C00-941693-5
F1053.2.T87 2000

DISTRIBUTEURS EXCLUSIFS :

- Pour le Québec, le Canada et les États-Unis :
  LES MESSAGERIES ADP*
  955, rue Amherst
  Montréal, Québec H2L 3K4
  Tél. : (514) 523-1182
  Téléc. : (514) 939-0406
  *Filiale de Sogides ltée

- Pour la France :
  D.E.Q.
  30, rue Gay-Lussac
  75005 Paris
  Tél. : 01 43 54 49 02
  Téléc. : 01 43 54 39 15
  Courriel : liquebec@cybercable.fr

- Pour la Suisse :
  TRANSAT S.A.
  4 Ter, route des Jeunes
  Case postale 1210, 1211 Genève 26
  Tél. : (41-22) 342-77-40
  Téléc. : (41-22) 343-46-46

Pour en savoir davantage sur nos publications,
visitez notre site : **www.edvlb.com**
Autres sites à visiter : www.edtypo.com • www.edhexagone. com
www.edhomme.com • www.edjour.com • www.edutilis. com

Dépôt légal : 4e trimestre 2000
Bibliothèque nationale du Québec
Bibliothèque nationale du Canada

ISBN 2-89005-756-9

À mes parents, Fernande Lapointe et George Turp, qui n'aiment pas le plan B, et qui veulent, pour les générations québécoises à venir, un pays.

BÂILLON **n. m.** (de *bâiller*) **1.** Morceau d'étoffe, qu'on met entre les mâchoires ou contre la bouche de quelqu'un pour l'empêcher de parler, de crier. **2. Fig.** Empêchement à la liberté d'expression.

BÂILLONNER **v. tr. 1.** Mettre un bâillon à (une personne). **2. Fig**. Empêcher la liberté d'expression, réduire au silence. *Bâillonner l'opposition, la presse.*

Le Nouveau Petit Robert

PROLOGUE

29 juin 2000. Je viens d'apprendre que le projet de loi C-20 a reçu la sanction de la gouverneure générale il y a quelques heures, à 18 heures précises. Je suis dans les studios de RDI pour commenter l'événement et je ne peux m'empêcher de dire, ce dont Micheline Fortin et Michaelle Jean pourront témoigner, qu'il s'agit d'un sombre épisode de l'histoire politique canadienne. Quelques instants plus tard, le sénateur Serge Joyal, celui qui a mené une croisade dans sa Chambre haute pour que le Canada soit « un et indivisible » et pour rendre obligatoire la tenue d'un référendum pancanadien avant toute négociation avec le Québec, déclare à la journaliste Christine Saint-Pierre que cette loi est salutaire pour la démocratie canadienne.

À Christine Saint-Pierre, qui m'invite à répliquer au sénateur Joyal, j'affirme que, loin d'être salutaire pour la démocratie canadienne, cette loi nie la démocratie québécoise. Je prédis que le Parti libéral du Canada va payer très cher cet affront à la démocratie aux prochaines élections fédérales et que le Bloc Québécois en sortira renforcé. D'ailleurs, depuis que ce même Parti libéral lui a imposé la Constitution de 1982, le Québec n'a plus jamais envoyé une majorité de députés libéraux pour le représenter à la Chambre des communes.

Alors qu'une profonde tristesse m'avait envahi après le vote, en troisième lecture, du projet de la loi C-20, en un malheureux 15 mars 2000 gravé à tout jamais dans ma mémoire, aucune tristesse semblable ne me gagne en ce 29 juin. D'autant que vient de se terminer la première séance de travail du comité pour la Constitution du Québec, dont je suis le député responsable, et qui constitue l'un des groupes de travail du Chantier sur la démocratie que le Bloc Québécois a mis sur pied lors de son congrès de janvier 2000. J'ai réuni autour de cette table des personnes que préoccupe l'avenir du Québec, qui veulent construire le Québec et lui donner une Constitution de son choix, à la différence de ceux qui veulent bloquer cet avenir et continuer à lui imposer une Constitution dont il ne veut pas.

J'entreprends d'écrire le présent essai, comme je m'étais promis de le faire en ce soir même de l'adoption du projet de loi sur la « clarté ». Mais je poursuivrai la rédaction de ce prologue demain matin, car il se fait tard et j'aurai alors les idées plus claires. Stéphane Dion sera content…

30 juin 2000. Je lis ce matin que Stéphane Dion, le ministre des Affaires intergouvernementales, se réjouit de l'adoption du projet de la loi C-20, car, dit-il, « le geste des sénateurs vient doter le gouvernement canadien d'un outil important dans la sauvegarde de la démocratie ». Selon lui, cette loi permet « d'assurer aux Canadiens que leur pays ne sera jamais brisé dans la confusion ».

Pourtant, j'étais convaincu, et le suis davantage encore en ce lendemain de l'adoption du projet de la loi sur la clarté, que cette loi n'est nullement un outil de « sauvegarde de la démocratie ». Au contraire, je crois profondément qu'elle bafoue la démocratie et bâillonne la nation québécoise.

Mais le projet de loi C-20 n'est pas un acte isolé dans la stratégie fédérale. Il s'inscrit de toute évidence dans une vaste offensive d'Ottawa contre le Québec. Le gouvernement fédéral s'emploie en effet, depuis plusieurs années, à neutraliser le mouvement souverainiste. À cette fin, il a échafaudé divers plans, entre autres celui que son ministre des Affaires intergouvernementales a lui-même baptisé « plan B » dont j'aimerais, dans cet essai, chercher à comprendre les tenants et aboutissants, à déchiffrer le contenu.

Il faut dire que mes fonctions de porte-parole du Bloc Québécois pour les Affaires étrangères de 1997 à 1999 et de porte-parole pour les Affaires intergouvernementales que j'exerce depuis le 30 juin 1999 m'ont placé au centre des discussions au sujet du plan B et ont fait de moi un témoin privilégié de sa mise en œuvre. En outre ma participation aux débats sur le projet de loi C-20 me permet, entre autres choses, de rendre compte des circonstances de l'adoption de cette loi, qui peut être considérée comme l'apothéose de l'offensive d'Ottawa contre le Québec.

Ces fonctions, ainsi que mon rôle en tant que député du Bloc Québécois, coloreront sans doute mon propos. Je ne prétendrai pas, au terme de cet essai, avoir fait preuve de l'objectivité de l'intellectuel et de l'universitaire que je demeure, mais qui a choisi la voie de l'action politique pour faire triompher quelques idées, principalement l'idée de faire du Québec un pays. Je suis porté à croire que, dans leurs récents livres, Pierre Pettigrew (*Pour une politique de la confiance*) et Stéphane Dion (*Le Pari de la franchise*) ont voulu défendre leur vision du Canada, de sorte qu'ils ne méritaient pas qu'on leur reproche leur manque d'objectivité.

D'ailleurs, on a souligné, avec raison selon moi, que les hommes et les femmes politiques ne devraient pas cacher leurs idées personnelles pendant qu'ils exercent leur mandat, qu'ils ont plutôt le devoir d'écrire. Je ne peux pas manquer à ce devoir, mais je tâcherai, contrairement à Pettigrew et Dion, ces deux ministres québécois recrutés par Jean Chrétien au lendemain du référendum de 1995, de faire autre chose que de compiler, d'une façon thématique, des discours et autres interventions politiques. Ceux qui voudraient lire les articles que j'ai publiés et les allocutions que j'ai prononcées depuis mon élection, le 2 juin 1997, peuvent consulter mon site électronique (sous la rubrique

« Activités politiques, écrits et allocutions ») à l'adresse daniel.turp.qc.ca.

J'aurai par ailleurs le souci de la rigueur, un souci qui a continué de m'habiter depuis que je suis un élu et qui ne me paraît aucunement incompatible avec les exigences de la vie politique. Tout au contraire, la rigueur est un ingrédient pour conserver, sinon regagner, la confiance des citoyens. La rigueur n'est pas non plus incompatible avec ma conviction que le Québec aurait intérêt à devenir un État souverain et qu'il doit demeurer libre de faire ce choix. Certes, une telle conviction oriente mon argumentation qui, par ailleurs, s'enrichit de plusieurs entretiens avec des personnalités politiques, des journalistes et des intellectuels.

Sans que je puisse en faire la démonstration parfaite, de nombreux indices et quelques faits troublants donnent à penser que le gouvernement fédéral a préparé, ces dernières années, une offensive qu'il met en œuvre progressivement, une offensive qui ne cessera pas avec l'adoption de la Loi sur la clarté et qui, peut-on croire, comportera d'autres volets dont il serait intéressant de connaître d'avance le contenu, une offensive qui se poursuivra à la Chambre des communes, mais qu'on cherchera à faire avaliser aux prochaines élections générales.

1er juillet 2000. Le Canada peut aujourd'hui – certains doivent le croire et je parierais que le premier ministre Jean Chrétien est de ceux-là – célébrer son 133e anniversaire en toute quiétude. Il dispose désormais d'une Loi sur la clarté pour assurer, selon lui, sa pérennité, pour contrecarrer toute volonté d'indépendance de la part du Québec. D'ailleurs, Jean Chrétien n'a-t-il pas affirmé hier – je le tiens du journal *Le Devoir* de ce 1er juillet (c'est curieux, *Le Devoir* est publié le 1er juillet, tout comme le *National Post*) – que la loi C-20 « c'est toujours ce qu'il a voulu accomplir ». Je ne peux m'empêcher de penser que cette loi n'a rien pour donner le goût aux Québécois de célébrer le Canada ou de manifester en faveur du Canada, comme ils célèbrent la fête nationale du Québec, qu'elle n'a rien pour les amener à reprendre confiance dans le Canada non plus, comme le souhaitait Stéphane Dion dans la déclaration ministérielle qui a suivi son assermentation à titre de ministre des Affaires intergouvernementales, le 25 janvier 1996.

En quittant Montréal pour ma circonscription, ce matin, j'ai vu un défilé se préparer aux abords de la rue Atwater et des chars allégoriques alignés sur le boulevard René-Lévesque. J'ai remarqué beaucoup d'unifoliés. J'ai pensé un instant qu'on m'accusera peut-être d'en abuser, moi aussi, en voyant la jeune femme bâillonnée au moyen du drapeau canadien qui orne la couverture de ce livre. Mais j'espère que chacun aura compris la double valeur symbolique de cette illustration : en empêchant Québec de s'exprimer, c'est aussi toute sa jeunesse qu'Ottawa muselle, et en particulier les femmes, qui composent une force montante. Par cette image, je veux rendre hommage à la jeunesse et aux femmes du Québec.

J'ai aussi pensé à Pierre Graveline et aux éditeurs qui ont livré bataille pour empêcher Sheila Copps d'imposer le mot-symbole Canada dans les livres publiés à l'aide d'une subvention fédérale. Cette bataille, ils l'ont gagnée. Et la couverture de ce livre ne remet aucunement en question cette victoire !

J'ai enfin pensé au député montréalais Pierre Pettigrew sans doute grandement sollicité dans sa circonscription de Papineau-Saint-Denis en ce jour de fête qui publiait hier, dans *La Presse*, un article d'un lyrisme peu convaincant sur le sens de la fête du Canada qu'il concluait en affirmant que « fêter le Canada, c'est célébrer une inspiration, une façon optimiste d'aborder l'avenir ». Est-ce que celui qu'on dit avoir été le plus grand opposant au projet de loi C-20 considère que cette loi constitue une façon optimiste pour le Québec d'aborder son avenir au sein du Canada ?

J'ai vu peu d'unifoliés à Salaberry-de-Valleyfield, le chef-lieu de ma circonscription, en cette journée du 1er juillet, où les Régates internationales sont plus courues que les célébrations de la confédération. Je sais qu'on la fête davantage à Huntingdon, Elgin et Godmanchester, dans la partie septentrionale de ma circonscription, et que le drapeau du Canada symbolise pour plusieurs, « le meilleur pays au monde ». Je sais aussi que ces personnes veulent croire, comme Jean Chrétien et Stéphane Dion, que la Loi sur la clarté va refroidir les ardeurs des souverainistes.

Mais au moment où s'achève cette première journée du mois de juillet de l'an 2000, mes ardeurs de souverainiste ne sont aucunement refroidies. Je suis plus motivé que jamais à faire la lumière sur une offensive d'Ottawa contre le Québec à laquelle on a donné un nom : le plan B – B pour bâillon ? Ce plan mérite d'être décortiqué, situé dans une perspective historique et décrit dans ses diverses dimensions, pour que les hommes et les femmes du Québec puissent le comprendre pour mieux s'y opposer et puissent affirmer clairement à ceux qui en sont à l'origine qu'ils servent mal leur peuple et ne méritent pas leur confiance.

INTRODUCTION

La genèse du plan B : de l'avocat Bertrand à l'architecte Dion

Déterminer la genèse du plan B, l'offensive la plus récente d'Ottawa contre le Québec, pourrait exiger une étude historique d'envergure tant il semble évident que cette offensive s'inscrit dans une continuité historique. D'aucuns voudront sans doute suggérer qu'il prend son origine dans la conquête de 1759 et qu'il est animé du même esprit colonial que celui qui régnait au moment où les troupes de Wolfe ont vaincu celles de Montcalm, faisant du coup passer la Nouvelle-France sous le joug de la Grande-Bretagne, un esprit colonial qui triomphait jadis par la conquête militaire, mais qui cherche aujourd'hui à s'imposer par la conquête politique, dont le projet de loi sur la clarté n'est que l'épiphénomène juridique.

De l'assimilation à la minorisation

D'autres voudront penser que le plan B a comme source d'inspiration lointaine l'Acte d'Union qui a réuni le Bas-Canada et le Haut-Canada. Que le très britannique Lord Durham et son héritier canadien Stéphane Dion ont en commun l'idée de retenir le Québec contre son gré dans l'union, l'un par l'assimilation et la minorisation, l'autre par la législation. Que la seule façon de réprimer les rébellions de 1837-1838 était de contraindre les habitants du Bas-Canada à renoncer à leur rêve d'indépendance et à se fondre dans les nouvelles institutions, tout comme les résultats du référendum de 1995 justifieraient le fait qu'on veuille priver les Québécois de leur droit démocratique à décider librement de leur avenir.

Mais une résistance farouche sera opposée aux institutions mises en place par l'Acte d'Union de 1840 qui vise à accomplir le projet d'assimilation et de minorisation de Lord Durham. Cette résistance aboutira à la naissance, en 1867, d'une fédération qui recrée la province de Québec et lui assure une certaine autonomie. Toutefois, en fédérant le Québec et trois autres provinces, l'Ontario, la Nouvelle-Écosse et le Nouveau-Brunswick, on place le Québec dans une situation minoritaire dans un ensemble appelé à être dirigé par un gouvernement central à qui des compétences importantes sont attribuées en vertu du nouvel Acte de l'Amérique du Nord britannique (AANB). Cette loi, connue aujourd'hui comme la Loi constitutionnelle de 1867, donne notamment au parlement du Canada la compétence d'adopter des lois pour « la paix, l'ordre et le bon gouvernement ». C'est de cette compétence que s'est prévalu le gouvernement Chrétien pour faire adopter sa Loi sur la clarté. Ainsi, dans sa dimension législative, le plan B a aussi pour origine lointaine une loi constitutionnelle votée en 1867. Celle-ci démontre ainsi son utilité quand il s'agit de vouloir retenir le Québec au sein d'un Canada dans lequel il est plus que jamais minoritaire, puisqu'il ne compte plus aujourd'hui que pour l'une des 10 provinces et trois territoires de la fédération.

Par ailleurs, la Loi constitutionnelle de 1867 établissait une union de type fédéral sans qu'aucune consultation populaire ait eu lieu et avec l'appui d'une faible majorité seulement des députés du Canada-Est (le Québec d'alors). Ainsi, le changement de statut politique des entités préconfédératives, et notamment du Québec, a pu être réalisé en 1867 bien qu'il n'ait pas obtenu un large consensus. Sachant cela, on s'étonne d'entendre le ministre des Affaires intergouvernementales Stéphane Dion exiger des souverainistes, 133 ans plus tard, que toute démarche du Québec en vue de changer son statut politique et en particulier en vue d'une accession à la souveraineté se fonde sur un large consensus. C'est justement l'absence supposée d'un tel consensus, ainsi que le refus du gouvernement du Canada de reconnaître au Québec la faculté de rechercher ce consensus, qui est à l'origine du plan B, et particulièrement de la Loi sur la clarté. Ainsi, pendant les débats qui ont précédé le dépôt du projet de loi C-20, le premier ministre et le ministre des Affaires intergouvernementales invitaient le gouvernement du Québec à renoncer à la tenue d'un nouveau référendum sur la souveraineté, à défaut de quoi, menaçaient-ils, ils verraient à faire adopter des règles de sécession.

À compter de 1867, le Québec s'emploiera essentiellement à exercer et à préserver l'autonomie constitutionnelle que lui confère l'AANB. Le statut politique du Québec ne connaîtra donc pas de remises en question sérieuses au lendemain de la naissance de la fédération ni au cours des décennies qui suivront, si bien que l'adoption de mesures visant à juguler tout mouvement indépendantiste n'est pas nécessaire. Il n'en demeure pas moins que la résistance de la « province » de Québec à certaines initiatives fédérales, notamment aux conscriptions de 1917 et de 1942, sera contenue par des décisions prises sans l'assentiment de la population du Québec. La méthode forte sera dès lors à l'ordre du jour et les vues de la nouvelle majorité canadienne-anglaise prévaudront sur celles de la minorité canadienne-française du Québec.

Québec libre et mesures de guerre

En 1960, la Révolution tranquille change la donne. Le « Maître chez nous » de Jean Lesage annonce une période de revendications constitutionnelles, mais aussi l'émergence d'un mouvement autonomiste, voire souverainiste. Dans un premier temps, la réponse du gouvernement fédéral et du reste du Canada démontre une certaine ouverture. Les demandes du Québec pour établir un régime des rentes et un système de prêts et bourses distincts de ceux du reste du Canada sont accueillies favorablement par le gouvernement Pearson. Malheureusement, l'arrivée de Pierre Elliott Trudeau à Ottawa en 1965 met un frein à cette volonté fédérale d'accommodement. Le Canada entre alors dans une ère constitutionnelle caractérisée par des conflits liés à des projets divergents de réforme de la fédération. Tandis que le Québec continue de réclamer une autonomie plus grande dans les domaines sociaux et culturels, de même que dans celui des relations internationales, le gouvernement fédéral cherche à accroître son influence au sein de la fédération et s'oppose à toute volonté de décentraliser davantage le pouvoir, et surtout refuse d'accorder au Québec un statut particulier. Le gouvernement fédéral tente de constituer une nation canadienne et choisit la voie du bilinguisme et du multiculturalisme pour mieux banaliser l'identité nationale québécoise émergente et pour contrecarrer l'affirmation de la langue française comme seule langue officielle et commune du Québec.

Les impasses qui se multiplient donnent son élan à un mouvement souverainiste naissant. Sur la scène électorale québécoise plusieurs partis politiques qui voient le jour soutiennent un projet d'indépendance du Québec. Le Rassemblement pour l'indépendance nationale (RIN) et le Ralliement national (RN) récoltent des appuis aux élections de 1966, où les 8 % de votes qu'ils recueillent contribuent à l'élection d'un gouvernement de l'Union nationale qui a fait campagne sur le thème « Égalité ou indépendance ».

Le rayonnement et la crédibilité de l'idée d'indépendance font un bond spectaculaire avec le « Vive le Québec libre ! » du président Charles de Gaulle, en 1967. Le gouvernement fédéral adopte alors une position défensive. Il constate que la souveraineté du Québec devient un enjeu, tant à l'échelle canadienne qu'à l'échelle internationale, et en vient à la conclusion que le mouvement souverainiste ne devrait pas être pris à la légère. À cette époque divers gains diplomatiques du Québec, notamment des invitations à participer à des conférences de ministres des pays francophones, donnent lieu à des réponses fédérales qui préfigurent celles qui sont aujourd'hui formulées en application du petit catéchisme concocté à l'intention des diplomates canadiens.

La consolidation des forces indépendantistes autour du Parti Québécois et de René Lévesque, son chef fondateur, constitue une nouvelle étape qui inquiète le fédéral comme les actions du Front de libération du Québec (FLQ), un groupe extrémiste. En 1970, au lendemain de la première élection à laquelle se présente le Parti Québécois et qui lui donne seulement sept députés bien qu'il obtienne 23 % des voix, certains membres frustrés du FLQ commettent des actes terroristes pour promouvoir le projet de souveraineté. L'enlèvement d'un diplomate britannique et l'assassinat d'un ministre québécois par le FLQ reçoivent une réponse musclée du gouvernement fédéral. Bien que la violence ne doive pas être tolérée en politique pour faire la promotion de quelque idéal que ce soit, la réaction du gouvernement fédéral face à ces actes se révèle rétrospectivement démesurée.

Le gouvernement libéral de Pierre Elliott Trudeau utilise la Loi sur les mesures de guerre, proclame l'état d'urgence et suspend plusieurs droits fondamentaux. L'appréhension d'une pseudo-insurrection sert de prétexte à une intervention militaire d'envergure au Québec, qui est, selon la plupart des analystes, sans commune mesure avec la menace que représentent les quelques cellules du FLQ. Ces diverses mesures semblent être davantage destinées à intimider ceux qui soutiennent le projet d'accession à l'indépendance du Québec, dont plusieurs centaines qui sont d'ailleurs arrêtés sans mandat et injustement incarcérés. L'arsenal juridique et militaire utilisé pour juguler la montée du mouvement souverainiste et la réponse à cette crise sont une illustration des méthodes que le gouvernement fédéral préconise déjà, à cette époque, afin de défendre l'unité canadienne. On n'a pas manqué d'établir récemment un parallèle entre la Loi sur la mesures de guerre et la Loi sur la clarté, qui sont, dans des registres fort différents, des instruments juridiques dont le Parlement fédéral peut se servir pour s'opposer aux aspirations du peuple québécois.

Un référendum confisqué

Or ces mesures d'intimidation ont plus ou moins de succès. En 1973, même s'il ne fait élire à l'Assemblée nationale du Québec que six députés, le Parti Québécois obtient le soutien de 32 % des électeurs. Cela légitime aux yeux du gouvernement fédéral la poursuite des manœuvres d'intimidation. La Gendarmerie royale du Canada, qui a été mise à contribution, mène des opérations contre le Parti Québécois et ses membres. Elles sont finalement révélées au grand jour et démontrent que le gouvernement fédéral ne lésine pas sur les moyens quand il s'agit de combattre ce qu'il perçoit comme une menace pour l'unité canadienne.

Malgré tout, le 15 novembre 1976, les Québécois choisissent de porter René Lévesque et le Parti Québécois au pouvoir. Pour la première fois de son histoire, le Canada est devant la possibilité que le Québec accède à l'indépendance. Pendant que le gouvernement Lévesque fait adopter une Loi sur la consultation populaire et élabore le projet de souveraineté-association qu'il veut soumettre à la population du Québec par voie de référendum, le gouvernement fédéral s'emploie à mettre au point une stratégie visant à faire échec à une telle entreprise. Cette stratégie ne revêt pas la forme d'un plan B aussi cohérent que celui qu'inventeront plus tard Jean Chrétien et Stéphane Dion, mais Pierre Elliott Trudeau et ses lieutenants préparent aussi leur réplique à la démarche référendaire québécoise.

La tactique consiste principalement à présenter des propositions de réforme constitutionnelle destinées à satisfaire certaines demandes du Québec. Toutefois, la formulation de telles propositions n'est pas chose simple. La commission Pépin-Robarts sur l'unité canadienne est créée, mais ses recommandations sont jugées inacceptables par le premier ministre Trudeau, qui rejette aussi les propositions de renouvellement du fédéralisme canadien qu'énonce le chef du Parti libéral du Québec, Claude Ryan, dans son livre beige. Malgré tout, Trudeau ne se gêne pas pour affirmer, tout au long de la campagne référendaire de 1980, qu'un Non à la souveraineté signifie un vote pour le changement, un vote pour le renouvellement du fédéralisme canadien et la satisfaction des exigences du Québec.

Ce n'est pas là la seule promesse que fait le gouvernement fédéral qui a bien d'autres tours dans son sac pour convaincre les Québécois de refuser au gouvernement du Québec le mandat de négocier la souveraineté-association. En 1980, la menace de la partition n'est guère invoquée et on débat peu de la clarté de la question référendaire et de la majorité requise ; en revanche, les fédéralistes agitent le spectre du chaos économique advenant une victoire du Oui et parlent même d'un possible refus d'Ottawa de négocier avec le Québec. Le gouvernement fédéral dépense des sommes phénoménales pour faire la promotion de l'« unité nationale », à travers, notamment, le Conseil pour l'unité canadienne.

Si l'on a pu prétendre que le référendum de 1980 a été « confisqué », il est à vrai dire difficile de conclure à l'existence d'un plan global et cohérent pour lutter contre le camp du Oui.

Le fait que la campagne pour le Non a été dirigée par le chef du Parti libéral du Québec explique sans doute en partie le manque de planification d'autant que des divergences profondes s'étaient manifestées entre les responsables québécois et fédéraux du camp du Non avant et pendant la campagne référendaire. La certitude que le Non allait l'emporter, confirmée par plusieurs sondages, peut aussi expliquer qu'on n'ait pas jugé nécessaire d'orchestrer de façon systématique la croisade fédéraliste.

La défaite référendaire du 20 mai 1980 a pour conséquence de suspendre dans l'immédiat les débats sur le statut politique du Québec et, pour certains, la menace de la séparation du Québec. Se rappelant les engagements de Trudeau, beaucoup de Québécois mettent alors leur espoir dans un renouvellement du fédéralisme qui tienne compte des revendications du Québec. La déception est grande chez les fédéralistes québécois, car les changements que préconise Pierre Elliott Trudeau ne sont pas ceux que réclament les Québécois depuis si longtemps, mais des changements qui reflètent sa propre vision du pays. Ainsi, il ne sera plus question, au lendemain du référendum, d'une modification du partage des compétences visant à décentraliser le pouvoir fédéral, comme le Québec le souhaite, ni de l'octroi au Québec d'un véritable droit de veto. S'il consent à quelques changements mineurs dans le partage des compétences, par exemple l'attribution aux provinces de pouvoirs explicites sur leurs ressources naturelles renouvelables, le premier ministre Trudeau met plutôt au premier plan le rapatriement de la Constitution canadienne et l'enchâssement d'une charte des droits et libertés. Dans le *Référendum confisqué*, le journaliste Claude-V. Marsolais en viendra à la conclusion que « le résultat de la défaite des souverainistes-associationnistes et des néofédéralistes fut la consécration de la thèse prônée par Pierre Elliott Trudeau, le fédéralisme fonctionnel qui ne pouvait se satisfaire qu'en accaparant de nouveaux pouvoirs ».

Le coup de force de Trudeau

Le Québec ne trouve guère son compte dans ces changements et René Lévesque, qui a été reporté au pouvoir aux élections d'avril 1981, crée un front commun avec les premiers ministres des autres provinces pour empêcher que le gouvernement fédéral ne procède à un rapatriement unilatéral de la Constitution et qu'il ne la modifie sans leur consentement. Mais à l'automne 1981, au moment de la ronde finale des négociations, Trudeau brise l'alliance et négocie avec les provinces anglophones, à l'insu de René Lévesque, pendant une nuit dite « des longs couteaux », le rapatriement et les modifications de la Constitution. Le Québec voit des dispositions de sa Charte de la langue française (loi 101) abrogées implicitement par des articles de la nouvelle Charte canadienne des droits et libertés et n'obtient pas le droit de veto ni le droit de retrait avec compensation réclamée par tous les partis politiques du Québec. Les tentatives pour faire déclarer le projet inconstitutionnel par les tribunaux sont infructueuses, et la nouvelle Loi constitutionnelle entre en vigueur, sans l'assentiment du Québec, le 17 avril 1982.

La proclamation de la Loi constitutionnelle de 1982 reflète sans aucun doute une intention de renouvellement du fédéralisme canadien, mais sûrement pas celui souhaité par le Québec. Avec le recul, toutefois, on constate que cette loi, de même que les formules de modification qu'elle prévoit, joue un rôle important dans la genèse du plan B. La Loi constitutionnelle de 1982 fait partie de l'arsenal auquel le gouvernement a eu recours pour donner à son plan B une base juridique. Toutefois, en raison de l'opposition du gouvernement du Québec et de l'ensemble des acteurs politiques du Québec à son adoption, cette loi souffre d'un manque de légitimité politique et d'un réel déficit démocratique.

L'illégitimité de la Loi constitutionnelle de 1982 est d'ailleurs à l'origine des efforts de réconciliation faits par le gouvernement conservateur de Brian Mulroney au lendemain de son élection en 1984. Pendant l'ère Mulroney, l'accent sera mis sur la façon de réintégrer, « dans l'honneur et l'enthousiasme », le Québec dans la famille constitutionnelle canadienne. À cet effet, le Conseil privé, le Conseil pour l'unité canadienne et les autres acteurs politiques de la scène fédérale ou provinciale se voient confier la mission de trouver une solution constitutionnelle qui puisse satisfaire le Québec ; l'heure n'est plus au dénigrement acharné du projet souverainiste, dont plusieurs défenseurs ont du reste choisi, comme René Lévesque, de jouer la carte du « beau risque ». Ces efforts aboutissent, en 1987, à l'accord du lac Meech, qui contient des propositions acceptables aux yeux du gouvernement du Québec de l'heure. Cet accord doit être ratifié par les 10 provinces au plus tard le 23 juin 1990, mais l'opposition persistante du Manitoba et de Terre-Neuve ruine tous les espoirs. L'échec de l'accord du lac Meech ouvre une période d'une rare intensité politique au Québec.

Après avoir habilement créé l'illusion qu'il envisageait sérieusement l'option souverainiste pour le Québec et créé à cette fin la Commission sur l'avenir politique et constitutionnel du Québec (commission Bélanger-Campeau), le premier ministre du Québec, Robert Bourassa, invite Ottawa et les autres provinces à présenter au Québec une offre de partenariat constitutionnel, finit par retourner à la table des négociations constitutionnelles et entérine l'accord de Charlottetown. Mais les populations du Québec et du Canada, dans deux référendums distincts, tenus le 26 octobre 1992, rejettent l'accord, préférant le *statu quo* à ce projet de réforme. Il est à noter que la clarté des questions référendaires et la majorité requise ne font l'objet d'aucune contestation.

La naissance du Bloc Québécois

Les rejets successifs de l'accord du lac Meech et de l'accord de Charlottetown permettent d'envisager le retour au pouvoir du Parti Québécois reconstruit par son chef, Jacques Parizeau. Le paysage politique est toutefois quelque peu différent, en ceci que le PQ a maintenant un parti frère à Ottawa, le Bloc Québécois, créé dans la foulée de l'échec de l'accord du lac Meech. Dirigé par Lucien Bouchard, le Bloc Québécois a fait élire 54 candidats aux élections fédérales du 25 octobre 1993, représentant 72 % de la députation du Québec à la Chambre des communes. Les résultats du scrutin ont provoqué un séisme politique majeur au Canada : qu'un parti fédéral indépendantiste obtienne le titre d'opposition officielle concrétise davantage la possibilité que le Québec opte, à brève échéance, pour la souveraineté.

L'arrivée du Bloc Québécois à Ottawa inquiète grandement tous ceux qui voudraient enrayer la montée du mouvement souverainiste. D'ailleurs, l'autre parti politique qui a aussi fait en 1993 son entrée à la Chambre des communes, le Reform Party, ne tardera pas à proposer une attitude plus dure à l'égard des souverainistes québécois. Évoquant ouvertement une éventuelle partition du territoire québécois si le Québec venait à accéder à la souveraineté, les députés réformistes déposeront des projets de loi visant à encadrer la tenue d'un référendum québécois et prévoyant une consultation pancanadienne pour autoriser l'accession du Québec à la souveraineté. Mais le gouvernement fédéral, dirigé pas les libéraux de Jean Chrétien, n'agira pas immédiatement sur ce terrain et ne se laissera pas encore séduire par l'approche radicale du Reform Party. Il n'agira pas non plus sur le terrain de la réforme constitutionnelle, car il est convaincu qu'il ne faut plus parler de Constitution après les échecs de Meech et de Charlottetown.

L'élection du gouvernement du Parti Québécois, le 12 septembre 1994, change toutefois la donne. Bien que la majorité obtenue soit moins nette que ce que les sondages prévoyaient, le nouveau premier ministre enclenche comme promis le processus d'accession à la souveraineté et réitère son engagement de tenir un référendum dans la première année de son mandat. Il met en place un dispositif axé sur l'élaboration d'un avant-projet de loi sur la souveraineté et prévoit des consultations par le biais de commissions régionales et nationale sur l'avenir du Québec. Ces commissions sillonnent le Québec durant l'hiver 1994 – l'« hiver de la parole » – et entendent plus de 50 000 citoyens et de nombreux groupes. Prenant en considération le rapport de la Commission nationale sur l'avenir du Québec qui a fait la synthèse des travaux des commissions régionales, et en vertu d'une entente conclue le 12 juin 1995 entre le Parti Québécois, le Bloc Québécois et l'Action démocratique du Québec, le gouvernement présente le projet de loi n° 1 sur l'avenir du Québec qui établit les grandes lignes de son projet politique : le Québec deviendrait souverain, tout en faisant une offre de partenariat économique et politique au Canada.

30 octobre 1995, sueurs chaudes et froides

Pendant que ces débats ont cours au Québec, le gouvernement fédéral prépare la lutte référendaire. Il ne semble guère s'inquiéter, car les sondages ne prédisent pas une victoire du Oui. À sa demande, une série d'études sont réalisées, dont celle intitulée *Séparation du Québec. Questions juridiques* (décembre 1994) qui aborde des questions telles que l'autodétermination et la sécession, la déclaration unilatérale d'indépendance, la reconnaissance internationale, les frontières et les territoires et la responsabilité fédérale à l'égard des Autochtones. Il veille aussi à garnir les coffres des organismes qui luttent pour l'unité canadienne. Même s'il est pressé de le faire par le Reform Party, il choisit de ne pas présenter d'offres constitutionnelles au Québec et refuse d'intervenir sur le plan législatif en adoptant une loi sur les règles de la sécession.

Devant l'inaction du gouvernement fédéral, l'avocat Guy Bertrand, un ancien militant indépendantiste qui a été candidat à la direction du Parti Québécois en 1985, mais qui a fait volte-face et a rejoint les rangs des fédéralistes purs et durs, décide de contester la constitutionnalité de l'avant-projet de loi sur la souveraineté du Québec et de demander que soient prononcées une série d'injonctions pour empêcher la tenue d'un référendum au Québec et interdire l'utilisation des fonds publics à des fins de promotion du projet de souveraineté.

Dans un jugement rendu le 8 septembre 1995, soit au lendemain du dépôt du projet de loi n° 1 sur l'avenir du Québec et quelques jours avant l'ouverture officielle de la campagne référendaire, la Cour supérieure du Québec, qui avait refusé de prononcer les injonctions demandées, déclare que le projet de loi n° 1 sur l'avenir du Québec, « visant à accorder à l'Assemblé nationale du Québec le pouvoir de proclamer que le Québec devienne un pays souverain, sans avoir à suivre la procédure de modification prévue à la partie V de la Loi constitutionnelle de 1982, constitue une menace grave aux droits et libertés du demandeur garantis par la Charte canadienne des droits et libertés, particulièrement aux articles 2, 3, 6, 15 et 24 paragraphe 1 ». Voilà qui donne un avant-goût de ce que sera la dimension juridique du plan B.

Ce jugement déclaratoire aura une incidence limitée sur la campagne référendaire qui doit s'achever avec le vote du 30 octobre 1995. Mais bien qu'il puisse se réjouir de la légalité du référendum, le camp du Oui semble éprouver de réelles difficultés au début. Puis il prend un élan remarquable à la suite de la désignation de Lucien Bouchard comme éventuel négociateur en chef du projet de partenariat avec le Canada, et le Oui gagne rapidement des points dans les sondages. Les responsables du camp du Non sont de plus en plus inquiets.

S'ajoutent à l'inquiétude des tensions entre les fédéralistes, qui s'amplifieront tout au long de la campagne. Parmi celles-ci, il y a le refus de Daniel Johnson de cautionner la menace de la partition et l'importance qu'il donne à la liberté du Québec de choisir son destin. Les ténors d'Ottawa commencent quant à eux à remettre en question la règle de la majorité absolue (50 % + 1). Le premier ministre Chrétien affirme, comme cela sera rappelé à de multiples reprises dans les débats sur le projet de loi C-20, qu'il ne négociera pas sur la base d'une faible majorité. Pressé par le chef du camp du Oui durant le dernier droit de la campagne, Jean Chrétien se voit obligé de promettre, comme Pierre Elliott Trudeau en 1980, de changer la fédération canadienne, et s'y engage dans une allocution télévisée le 25 octobre 1995.

La campagne référendaire prend fin avec une grande manifestation d'amour à Montréal, le 27 octobre. Pour l'organiser, les adversaires du Oui ont dû dépenser des sommes astronomiques afin de transporter et de loger à Montréal des personnes venues des quatre coins du Canada donner leur appui au camp du Non. On ne sait si ce gigantesques *love in* a aidé le camp du Non ou s'il lui a nui, mais le dépouillement des votes le 30 octobre donne des sueurs chaudes et froides aux deux camps. À la fin du décompte, le Non l'emporte par une marge infinitésimale, à peine 54 288 voix sur les 4 671 008 voix exprimées. Le camp du Oui aura recueilli 49,52 % des votes valides.

Le réveil brutal des fédéralistes

Selon certains analystes la quasi-victoire des souverainistes doit être mise sur le compte d'un excès de confiance des fédéralistes et de leur préparation inadéquate pour ce deuxième duel référendaire sur l'avenir du Québec. Des voix s'élèvent pour que le gouvernement du Canada prenne les choses en main et élabore un plan pour empêcher toute autre tentative par le Québec d'accéder à la souveraineté. Une telle action apparaît d'autant plus nécessaire que les leaders souverainistes se sont engagés, le soir du 30 octobre 1995, à poursuivre le combat pour la souveraineté. À cause de son manque de fermeté et parce qu'il n'a toujours pas réussi à se donner un programme constitutionnel sérieux, le Parti libéral du Québec se voit frapper d'ostracisme. Ce parti, selon les stratèges fédéraux, ne devra plus nuire au grand frère d'Ottawa qui tient dorénavant à être le seul meneur des troupes fédéralistes du Québec.

On peut sans doute faire remonter au lendemain du référendum de 1995 les germes de ce qui viendra à être connu comme le plan B. Dès novembre 1995, le premier ministre du Canada exprime sa ferme intention de prendre les mesures nécessaires pour « garantir la stabilité politique du pays ». Le mois suivant, il déclare vouloir faire en sorte que la question d'un prochain référendum québécois soit « clairement posée ». En janvier 1996, au cours d'une réunion de son cabinet à Vancouver, il parle pour la première fois de la possibilité d'une partition du Québec.

Cependant, Jean Chrétien s'efforce de remplir ses engagements référendaires. En décembre 1995, il fait adopter par la Chambre des communes une motion sur la société distincte. Cette motion qui n'a pas force de loi, ni aucune portée constitutionnelle, n'est pas perçue comme satisfaisante au regard de la promesse de reconnaître le Québec comme société distincte. La Loi concernant les modifications constitutionnelles est également adoptée ; elle garantit, quoique indirectement, un droit de veto au Québec (mais également à d'autres provinces ou groupes de provinces) sur d'éventuelles modifications constitutionnelles qui, en vertu de la Constitution, pourraient être apportées sans son assentiment. Des négociations sont entamées en vue du rééquilibrage des rôles et des responsabilités des gouvernements, mais elles touchent le seul domaine de la formation de la main-d'œuvre. Le gouvernement canadien pense ainsi s'acquitter de ses engagements quant à un nouveau partage des pouvoirs entre Ottawa et les provinces.

Mais ces réformes et ces initiatives sont présentées et adoptées sans enthousiasme. Il semble évident qu'elles relèvent d'une simple intention de respect minimal des promesses référendaires. Elles ne satisfont aucunement les fédéralistes québécois, mais leur opinion à ce sujet n'a plus guère de poids. Elles ne semblent pas suffire non plus aux autres provinces canadiennes, qui se lancent (sans inviter le gouvernement fédéral à y participer et en l'absence du gouvernement du Québec qui a décliné l'invitation) dans une réflexion sur l'avenir du Canada. Il en résultera l'adoption de la déclaration de Calgary, une déclaration qui fera long feu et qui se révélera incapable d'orienter des débats plus approfondis sur le renouvellement du fédéralisme canadien.

Après ces quelques manifestations de bonne volonté à l'endroit du Québec, le premier ministre Chrétien est prêt à donner priorité à la ligne dure à l'égard des souverainistes québécois. L'un des gestes les plus révélateurs à cet égard est la nomination de Stéphane Dion comme ministre des Affaires intergouvernementales, le 25 janvier 1996. Apprécié par Jean Chrétien pour son intransigeance sur la question de l'indépendance de Québec, le nouveau ministre se voit confier la tâche d'orchestrer la réplique du gouvernement fédéral aux souverainistes et devient l'architecte du plan destiné à les combattre. Il admet d'ailleurs lui-même publiquement, à la sortie d'une réunion du Conseil des ministres, en janvier 1996, que le gouvernement est en train de mettre au point deux plans pour donner la réplique aux souverainistes québécois : un plan A qui définit les règles de la réconciliation en vue d'améliorer le fonctionnement de la fédération, et un plan B, qui définit les règles de la sécession et qui vise à encadrer le processus d'accession à la souveraineté.

Ainsi naît le plan B. Après avoir eu son avocat en la personne de Guy Bertrand, qui continue d'ailleurs sa croisade judiciaire après le référendum, le plan B a maintenant son architecte, Stéphane Dion. Le nouveau ministre a du pain sur la planche : il doit ordonner les éléments disparates de la stratégie fédérale des dernières années en un plan cohérent et s'assurer que ce plan contribue à affaiblir l'appui des Québécois à la souveraineté. Pour ce faire, il peut compter sur l'assistance d'une formidable machine, le bureau du Conseil privé, dont il est le président, et sur des ressources presque illimitées. Bien qu'il ne soit guère possible de déterminer et d'évaluer de façon précise toutes les ressources mises à la disposition du ministre Dion, on peut affirmer sans craindre de se tromper que celui-ci jouit, dès son arrivé à Ottawa, d'une très grande marge de manœuvre tout en ayant le soutien du premier ministre.

À compter de février 1996, donc, le projet d'un plan B existe au grand jour et est en voie de mûrissement. D'ailleurs, le discours du Trône de février 1996 affirme sans ambages que « tant qu'il sera question d'un autre référendum au Québec, le gouvernement s'acquittera de sa responsabilité, qui est d'assurer que l'on joue cartes sur table, que les règles sont équitables, que les conséquences sont clairement énoncées et que les Canadiens, où qu'ils vivent, ont leur mot à dire sur l'avenir de leur pays ».

Le plan B est depuis lors devenu un leitmotiv dans le discours politique canadien. Qu'il s'agisse de la Loi sur la clarté, de l'utilisation des drapeaux canadiens, de la diffusion des *Minutes du patrimoine* de Robert Guy Scully, de la partition du Québec ou du petit catéchisme à l'intention des diplomates canadiens, le plan B domine la politique canadienne contemporaine et mérite d'être étudié.

Comme me l'a fait remarquer avec justesse l'éditeur Pierre Graveline, qui m'a convaincu de faire porter mon essai sur le plan B dans son ensemble, une telle entreprise est d'autant plus pertinente que celui-ci n'a pas encore fait l'objet d'une analyse globale. Dans *La Dérive d'Ottawa. Catalogue commenté des stratégies, tactiques et manœuvres fédérales*, qui a paru au printemps 1998, Claude Morin se limite à un bref « tour à l'intérieur du plan B ». Plus récemment, Jean-François Lisée s'est penché sur certains éléments du plan B dans deux chapitres de son livre *Sortie de secours*. Au Canada anglais, les juristes Patrick J. Monahan et Michael J. Bryant ont publié *Coming to Terms with Plan B : Ten Principles Governing Secession*, et un numéro spécial de *Canada Watch* a présenté un *Focus on Plan B*. Quelques articles de journaux et de revues s'ajoutent à ces essais, sans plus.

En quoi consiste au juste le plan B, quel en est le contenu véritable ? Doit-on se contenter de la définition qu'en donne Stéphane Dion et le considérer comme un ensemble de règles concernant la sécession, ce qui lui confère une dimension essentiellement juridique ? Ou doit-on voir le plan B comme un ensemble de stratégies pour faire échec au souverainisme québécois, dont la dimension juridique n'est que l'une des composantes ?

J'opte quant à moi pour cette deuxième perspective parce qu'elle me paraît nettement plus conforme à la réalité. À la dimension juridique du plan B, dont l'avis de la Cour suprême et la Loi sur la clarté sont les piliers essentiels, doivent s'ajouter d'autres éléments, comme la menace de la partition du Québec, la promotion de l'identité canadienne par les drapeaux et les célébrations du 1er juillet et l'offensive contre le projet de souveraineté sur le plan international.

Ainsi le plan B mérite-t-il d'être analysé dans ses multiples dimensions : juridique, territoriale, identitaire et diplomatique.

CHAPITRE PREMIER

L'arsenal juridique du plan B : clarté et confusion

Le processus d'accession à la souveraineté du Québec a d'abord été considéré comme étant strictement d'ordre politique et l'on aurait pu s'attendre à ce que tout plan du gouvernement fédéral mette l'accent sur la dimension politique de cette question. Or il semble que l'approche politique soit devenue insuffisante, que les arguments politiques aient perdu de leur force, si bien qu'il a fallu faire appel au droit.

Les aspects juridiques de la sécession ont suscité l'intérêt de plusieurs tant au Québec qu'au Canada. J'ai moi-même écrit quelques textes relativement au droit du Québec d'accéder à la souveraineté. Bien que la dimension juridique du processus d'accession à la souveraineté m'interpelle en tant que spécialiste en droit international et constitutionnel, j'ai toujours cru que le droit ne doit jouer qu'un rôle secondaire dans ce processus, qu'il ne doit surtout pas venir entraver la liberté d'un peuple de choisir son destin. Au contraire, le rôle du droit est de soutenir la liberté d'un peuple.

Le débat sur le droit des peuples à disposer d'eux-mêmes, garanti par la Charte des Nations Unies et le Pacte international relatif aux droits civils et politiques, pour ne citer que ces instruments internationaux, oppose les tenants d'une interprétation large et libérale, à ceux qui reconnaissent, dans certaines circonstances, un droit à l'autodétermination aux seuls peuples coloniaux. Sur le plan du droit constitutionnel canadien, les juristes s'interrogent depuis longtemps sur la procédure de modification constitutionnelle qui serait applicable dans le cas de l'accession du Québec à l'indépendance.

Ce débat n'a pas été transporté dans l'arène politique au cours de la campagne référendaire de 1980, pendant laquelle les arguments juridiques ont été rares, sinon inexistants. Toutefois, il n'échappera pas, 10 ans plus tard, à la commission Bélanger-Campeau sur l'avenir politique et constitutionnel du Québec et à la Commission d'études des questions afférentes à l'accession du Québec à la souveraineté, qui ont fait porter leur réflexion sur les aspects juridiques et qui ont conclu l'une et l'autre que la question du statut politique du Québec était principalement d'ordre politique.

L'affaire Bertrand

Le droit a commencé à imprégner le débat sur l'avenir politique et constitutionnel du Québec lorsque l'avocat Guy Bertrand a saisi, en son nom propre, la Cour supérieure du Québec d'un recours visant à faire reconnaître l'inconstitutionnalité de l'avant-projet de loi sur la souveraineté, à l'été 1995. Dans sa demande pour jugement déclaratoire et injonction permanente, accompagnée d'une requête en injonction provisoire et interlocutoire, Guy Bertrand affirme que « la conduite du gouvernement du Québec, de même que ses faits et gestes en regard de l'avant-projet de loi sur la souveraineté et de l'entente du 12 juin 1995, constitue un véritable coup d'État parlementaire et constitutionnel, une fraude à la Constitution canadienne et un détournement de pouvoirs qui auront pour conséquence de violer et de nier les droits et libertés du demandeur et de ceux de tous les contribuables québécois ».

L'avocat Bertrand, on l'a vu, essuie une première défaite devant la Cour supérieure, puisque celle-ci rejette, le 17 août 1995, sa requête en injonction provisoire et interlocutoire. Mais, le 8 septembre 1995, le tribunal lui donne en partie raison en déclarant que le projet de loi n° 1 sur l'avenir du Québec, qui est venu remplacer l'avant-projet de loi sur la souveraineté, « constitue une menace grave aux droits et libertés du demandeur garantis par la Charte canadienne des droits et libertés… »

Du coup, un élément juridique allait être introduit dans le débat sur l'avenir du Québec. Encouragé par sa première victoire, Guy Bertrand continue sa croisade judiciaire au lendemain du référendum de 1995. Modifiant sa requête initiale, il vise cette fois à faire déclarer « que le projet de sécession unilatérale porte atteinte aux droits garantis par la Charte canadienne des droits et libertés et qu'une consultation populaire portant sur la sécession unilatérale du Québec est illégale ».

Alors qu'il s'était tenu à l'écart dans l'« affaire Bertrand » durant l'été 1995, le gouvernement fédéral estime cette fois-ci important de faire entendre son point de vue. Il affirme vouloir intervenir au seul stade de la recevabilité et dans la seule intention de « démontrer que le projet du gouvernement du Québec de faire sécession unilatérale ne saurait jouir d'une immunité à l'égard des tribunaux et de la Constitution du Canada ». Cette initiative semble s'inscrire dans la nouvelle ligne d'action du gouvernement du Canada au lendemain du référendum de 1995 et annonce l'orientation juridique du plan B.

Le débat qui se déroule à la Cour supérieure, qui met en présence le demandeur Bertrand, le procureur général du Québec et le procureur général du Canada, aura un caractère essentiellement procédural. Le 30 août 1996, le tribunal rejette l'ensemble des arguments d'irrecevabilité présentés par le procureur général du Québec, ouvrant ainsi la voie à un examen du fond.

Une manipulation politicienne de la Cour suprême

Tout doute relatif à l'existence d'une dimension juridique du nouveau plan B se trouve dissipé lorsque le gouvernement fédéral décide de tenir le premier rôle dans le débat juridique sur l'indépendance du Québec. Le 30 septembre 1996, le gouvernement fédéral adopte un décret en vue de porter devant la Cour suprême du Canada certaines questions ayant trait à la sécession du Québec. Cette saisine de la Cour suprême du Canada a comme conséquence de rendre caduque l'action de Guy Bertrand.

Le décret comprend trois questions, fortement inspirées de celles qu'avait formulées la Cour supérieure dans son jugement du 30 août 1996, énoncées comme suit :

> 1. L'Assemblée nationale, la législature, ou le gouvernement du Québec peut-il, en vertu de la Constitution du Canada, procéder unilatéralement à la sécession du Québec du Canada ?
>
> 2. L'Assemblée nationale, la législature, ou le gouvernement du Québec possède-t-il, en vertu du droit international, le droit de procéder unilatéralement à la sécession du Québec du Canada ? À cet égard, en vertu du droit international, existe-t-il un droit à l'autodétermination qui procurerait à l'Assemblée nationale, la législature, ou le gouvernement du Québec, le droit de procéder unilatéralement à la sécession du Québec du Canada ?
>
> 3. Lequel du droit interne ou du droit international aurait préséance au Canada dans l'éventualité d'un conflit entre eux quant aux droits de l'Assemblée nationale, de la législature, ou du gouvernement du Québec de procéder unilatéralement à la sécession du Québec du Canada ?

À ce qu'il semble, le gouvernement fédéral vient de se découvrir une nouvelle passion pour le droit international et le droit constitutionnel. Sous le couvert d'un désir de clarification de l'état du droit international et du droit constitutionnel, il s'agit en réalité pour Ottawa d'obtenir de la Cour suprême un avis sur lequel il pourra se fonder pour faire obstacle au souverainisme québécois. D'ailleurs, la formulation même des questions indique que ce nouveau désir n'est pas neutre. Comme le fera remarquer le juriste français Alain Pellet, les trois questions posées à la Cour suprême sont fortement teintées d'un esprit partisan et relèvent clairement d'« une tentative trop voyante de manipulation politicienne ».

C'est sur cette toile de fond qu'émerge l'arsenal juridique du plan B. On espère convaincre les Québécois qu'ils n'ont pas le droit d'accéder à la souveraineté de façon unilatérale et leur faire comprendre que l'autorisation du reste du Canada sera requise. Ce sera une façon de les amener à rejeter tout projet visant à faire du Québec un pays.

Cependant, le recours au droit, et même à la Cour suprême du Canada, peut être une arme à deux tranchants, surtout quand des contradictions sont mises en lumière dans la position du gouvernement fédéral devant la Cour suprême du Canada. Ainsi, tout en demandant à la Cour de ne pas statuer sur la procédure de modification constitutionnelle applicable dans le cas d'une sécession, le procureur général du Canada, représenté par Me Yves Fortier, rappelle que l'une des procédures de modifications prévues par la Loi constitutionnelle de 1982 doit nécessairement s'appliquer dans le cas d'une sécession. Mais la nouvelle ministre de la Justice, Mme Anne McLellan, laisse entendre que les procédures de modification existantes ne sont pas conçues pour une situation exceptionnelle comme la sécession. Cette contradiction indique le caractère éminemment politique de la démarche fédérale.

C'est justement parce qu'il estime que la question de la souveraineté relève essentiellement du domaine politique que le gouvernement du Québec refuse de se présenter devant la Cour suprême. Le faire équivaudrait à cautionner la position d'Ottawa et à reconnaître que l'accession du Québec à la souveraineté est un acte juridique. Il n'est pas le seul acteur politique québécois à contester la démarche fédérale : le Bloc Québécois attire l'attention des citoyens et du corps diplomatique sur les intentions réelles du gouvernement fédéral dans sa saisine de la Cour suprême en rassemblant plus de 1000 partisans devant l'édifice de la Cour suprême, en février 1998.

Une vaste coalition se dessine contre l'intervention de la Cour suprême du Canada dans le dossier de l'avenir politique du Québec. Y figure au premier plan l'ancien chef du Parti libéral du Québec et ancien directeur du journal *Le Devoir*, Claude Ryan. Celui-ci n'hésite pas à affirmer que « la sécession est un enjeu politique et démocratique, et non pas juridique ». Le ministre Dion s'empresse de lui répondre que si « la démocratie prime, le droit est essentiel » et que le « droit est nécessaire pour que l'action politique se déroule de façon démocratique et non anarchique ». Il ajoute que, s'il appuie la saisine de la Cour suprême, « c'est en tant que Québécois qui veut s'assurer que ni lui ni ses citoyens ne perdront leur identité et leurs pleins droits de Canadiens dans la confusion, sans cadre juridique pour surmonter nos divisions, dans une dangereuse ambiguïté inacceptable en démocratie ».

L'avis de la Cour ou l'arroseur arrosé

L'avis que rend la Cour suprême, le 20 août 1998, montre lui-même que le recours juridique est parfois une arme dangereuse. Contre toute attente, la Cour suprême ne répond ni par l'affirmative ni par la négative aux questions qui lui ont été soumises. Et, plutôt que de nier simplement le droit du Québec de déclarer unilatéralement la souveraineté, elle souligne l'existence d'une obligation constitutionnelle de négocier qui engage le gouvernement fédéral et les provinces si les Québécois choisissaient d'accéder à la souveraineté, ainsi qu'on peut le lire au paragraphe 88 de son avis :

> La tentative légitime, par un participant de la Confédération, de modifier la Constitution a pour corollaire l'obligation faite à toutes les parties de venir à la table des négociations. Le rejet clairement exprimé par le peuple du Québec de l'ordre constitutionnel existant conférerait clairement légitimité aux revendications sécessionnistes, et imposerait aux autres provinces et au gouvernement fédéral l'obligation de prendre en considération et de respecter cette expression de la volonté démocratique en engageant des négociations et en les poursuivant en conformité avec les principes constitutionnels...

Le gouvernement du Canada se dit satisfait du jugement et met en relief le fait que la Cour a insisté à multiples reprises sur l'importance d'« une majorité claire » de votes en réponse à une « question claire ». Le gouvernement du Québec se dit lui aussi satisfait, car la Cour confirme son droit de chercher à réaliser la sécession et la légitimité de son projet. Les deux camps crient donc victoire, mais il s'agit d'une victoire ambiguë pour le gouvernement fédéral. Les souverainistes peuvent désormais se reporter à un avis du plus haut tribunal du pays pour rappeler aux autres Canadiens l'obligation qu'auront leurs gouvernements de négocier avec le Québec. Ils peuvent également dire aux Québécois de ne pas accorder d'importance à la menace d'un refus de négocier avec le Québec au lendemain d'un vote favorable à la souveraineté. Cet argument dans la bouche des dirigeants fédéraux et provinciaux est désormais dénué de tout fondement.

L'avis de la Cour suprême nuit d'autant plus aux fédéralistes puisqu'il mentionne la possibilité d'une reconnaissance internationale du Québec rendue plus facile par tout refus des autres gouvernements du Canada de négocier de bonne foi. À cet égard, le paragraphe 103 de l'avis de la Cour suprême est clair :

> Dans la mesure où la violation de l'obligation constitutionnelle de négocier [...] mine la légitimité des actions d'une

> partie, elle peut avoir des répercussions importantes au plan international. Ainsi, le manquement à l'obligation d'engager et de poursuivre des négociations en conformité avec les principes constitutionnels peut affaiblir la légitimité du gouvernement qui s'en réclame, alors que celle-ci est en règle générale une condition préalable à la reconnaissance par la communauté internationale. Inversement, la violation de ces principes par le gouvernement fédéral ou le gouvernement d'autres provinces dans leur réponse à une demande de sécession peut entacher leur légitimité. Ainsi, un Québec qui aurait négocié dans le respect des principes et valeurs constitutionnels face à l'intransigeance injustifiée d'autres participants au niveau fédéral ou provincial aurait probablement plus de chances d'être reconnu qu'un Québec qui n'aurait pas lui-même agi conformément aux principes constitutionnels au cours du processus de négociations. La légalité des actes des parties au processus de négociation selon le droit canadien ainsi que la légitimité qu'on leur reconnaît seraient l'une et l'autre des considérations importantes dans le processus de reconnaissance. De cette manière, l'adhésion des parties à l'obligation de négocier serait indirectement évaluée au plan international.

Les souverainistes ont vite fait de s'employer à sensibiliser les diplomates en poste au Canada à la dimension internationale de l'avis de la Cour suprême et à l'importance que celle-ci accorde à la reconnaissance internationale dans le processus d'accession du Québec à la souveraineté. Cette partie de l'avis semble en outre légitimer, dans l'éventualité d'une intransigeance injustifiée lors des négociations, une déclaration unilatérale d'indépendance, cela même que le gouvernement fédéral voulait faire condamner par la Cour en lui posant des questions sur la sécession « unilatérale ».

Au début de l'automne 1998, le Bloc Québécois rassemble au parlement du Canada plus de 50 diplomates en poste à Ottawa pour leur présenter les vues des souverainistes sur l'avis de la Cour suprême et souligner le rôle important qu'auront à jouer leurs pays respectifs dans l'évaluation du respect de l'obligation de négocier qu'elle a évoquée. Visiblement, les diplomates cherchent à comprendre la portée exacte de cet avis et se montrent intéressés par l'analyse qu'en présente le professeur Jacques-Yvan Morin et par l'exposé de la position du Bloc Québécois que font ses porte-parole, en l'occurrence Pierre Brien et moi-même. Ils feront plus tard preuve d'un intérêt semblable pour la position du Bloc Québécois sur le projet de loi C-20 et seront alors plus nombreux encore à venir entendre les vues du Bloc et du gouvernement du Québec.

L'avis de la Cour suprême du Canada apparaît ainsi comme un raté dans les manœuvres du gouvernement fédéral. Plutôt que lui fournir, comme il l'espérait, des arguments juridiques à opposer aux arguments politiques des souverainistes, c'est ces derniers qu'il sert. L'arroseur arrosé, dira-t-on dans les cercles politiques ! Le gouvernement Chrétien doit en être fortement ébranlé, car il ne donne pas suite dans l'immédiat à l'affaire et il faut attendre plus d'un an avant que Jean Chrétien et Stéphane Dion fassent connaître leurs intentions, qui prendront la forme du projet de loi C-20 sur la clarté, déposé le 13 décembre 1999. Sans doute était-il devenu nécessaire de réviser la stratégie fédérale et de tracer de nouvelles voies pour concrétiser la dimension juridique du plan B. En réalité, l'inaction du gouvernement Chrétien au lendemain de l'avis est stratégique. Des élections sont imminentes au Québec et l'adoption de mesures visant à donner effet à l'avis, ou à en corriger les conséquences, sont susceptibles de favoriser la réélection du Parti Québécois ; si le Parti libéral du Québec prend le pouvoir, toute initiative du gouvernement fédéral en cette matière devient non pertinente.

Des dents juridiques pour le plan B

C'est le Parti Québécois de Lucien Bouchard qui gagne les élections de novembre 1998. Aussitôt, le premier ministre rappelle que son gouvernement vient de se voir confier de nouveau le mandat de chercher à réaliser, lorsque les conditions gagnantes seront réunies, la souveraineté du Québec. Dans les circonstances, la reprise de l'action fédérale sur le terrain juridique n'étonnerait personne. Mais le gouvernement Chrétien veut de toute évidence prendre son temps. Dans les officines du Conseil privé, on jongle avec divers scénarios, mais à peu près rien ne filtre des intentions du gouvernement à ce chapitre.

Il faut dire qu'on est davantage préoccupé par la négociation de l'union sociale, qui devient réalité le 4 février 1999. Encore une fois, ces pourparlers marquent la marginalisation du Québec, car l'accord est conclu sans son consentement. Ce nouveau pacte consolide le pouvoir de dépenser du gouvernement central, ce que les ministres Anne McLellan et Stéphane Dion s'empressent de faire remarquer. Le ministre canadien des Affaires intergouvernementales a beau répéter, à cette époque, qu'il faut sortir de l'« obsession constitutionnelle », il est le premier à se réclamer de la Constitution pour asseoir les pouvoirs du gouvernement fédéral sur des assises plus solides, comme le démontre l'adoption de l'entente-cadre sur l'union sociale. D'autres projets préoccupent aussi le ministre au cours de cette période, en particulier l'organisation d'un grand colloque sur le fédéralisme le 8 octobre 1999 à Mont-Tremblant. Le gouvernement du Canada entend lors de ce colloque vanter les bienfaits du fédéralisme canadien.

La question du fédéralisme canadien semble d'ailleurs constituer la préoccupation de l'heure du ministre Dion. Une lecture de l'ensemble de ses communiqués, discours et lettres ouvertes montre en effet qu'il aborde sans cesse les sujets du caractère décentralisé du fédéralisme canadien, de l'unité dans la diversité à la façon canadienne et de l'universalité de l'idéal de cohabitation harmonieuse de personnes de langues et de cultures différentes. Toutefois, le 5 août 1999, à Reykjavík, capitale de l'Islande, il enfourche son autre dada – le plan B – et présente à l'Association nordique d'études canadiennes une allocution portant sur la sécession et l'exigence de clarté. Dans la conclusion de ce discours, le ministre étale ses convictions :

> – qu'il ne serait pas acceptable que nous, les Québécois, voyions notre appartenance au Canada remise en question dans la confusion ; il faudrait que nous exprimions clairement notre volonté d'y renoncer ;
>
> – qu'une question vague comme celle qui a été posée en 1995, qui portait sur la souveraineté avec offre de partenariat politique et économique, ne permet pas de vérifier si les Québécois veulent vraiment faire sécession, veulent vraiment que le Québec cesse de faire partie du Canada et devienne un État indépendant ;
>
> – qu'il serait irresponsable de nous engager dans la négociation d'une sécession sur la base d'une majorité courte, d'un Québec cassé en deux ;
>
> – que le gouvernement du Canada ne saurait entreprendre la négociation de la fin de ses obligations constitutionnelles envers les Québécois que si ceux-ci le demandaient clairement, au moyen d'une majorité claire sur une question portant sur la sécession ;
>
> – qu'il est tout à fait illusoire de la part des leaders sécessionnistes de croire que la communauté internationale reconnaît leur tentative de sécession contre la volonté manifeste du gouvernement du Canada ;
>
> – et que, par-dessus tout, puisque ce qui est clair, c'est que nous, Québécois, désirons rester canadiens, on ne doit pas nous imposer un référendum dont nous ne voulons pas.

S'il se garde bien d'annoncer une prochaine intervention du gouvernement du Canada sur ces questions, le ministre annonce explicitement la position que ce dernier entend défendre à savoir qu'« un référendum tenu dans le cadre d'un projet de sécession doit poser une question claire et dégager une majorité claire pour que la sécession puisse éventuellement se faire ».

Or ce discours du ministre Dion, comme les autres qu'il tient depuis le 20 août 1998, est fondé sur une lecture tendancieuse de l'avis de la Cour suprême et sur une analyse abusive de l'histoire politique québécoise et canadienne. Dans une lettre ouverte à son intention, publiée un an jour pour jour après l'Avis de la Cour suprême, je m'emploie à démonter en quoi il est devenu un sophiste des temps modernes lorsqu'il parle des exigences de clarté concernant la majorité et la question référendaire, que ses comparaisons sont boiteuses lorqu'il disserte sur la majorité claire et qu'il verse dans l'obsession sécessionniste lorsqu'il recherche la question claire. Je conclus cette lettre ouverte en disant que « c'est sans doute parce que les thèses du fédéraliste Stéphane Dion sur la majorité et la question claire ne convainquent guère, qu'il a brandi, à son tour, le spectre de la "sécession", du "geste extrême", du "cortège d'incertitudes", du "désordre" et de la "turbulence". Mais celui qui pense avoir maîtrisé aujourd'hui l'art de défendre ses intérêts ne réussira jamais à faire oublier, un an après, que la Cour suprême a constaté l'existence d'une "obligation de négocier" avec le Québec et qu'il ne pourra plus, comme certains de ses prédécesseurs, dire que le Canada ne négociera pas avec le Québec ».

On devine, à la réplique du ministre, que le gouvernement fédéral envisage de prendre des mesures additionnelles au sujet de la sécession du Québec. N'est-ce pas, en quelque sorte, la Loi sur la clarté qu'il annonce en écrivant :

> Un troisième référendum sur la sécession est l'objectif de M. Bouchard et de son gouvernement, pas celui du gouvernement du Canada. Puisqu'ils déclarent toujours tenir à ce référendum, il leur appartient, depuis un an maintenant, d'indiquer à la population comment ils entendent se conformer à l'avis de la Cour suprême, notamment à propos de la clarté de la majorité et de la clarté de la question sur la sécession. Dans l'hypothèse où ils ne le feraient pas, tout en persistant néanmoins dans leur projet référendaire, le gouvernement du Canada a fait savoir qu'il pourrait être amené à préciser les circonstances raisonnables de clarté sans lesquelles il ne saurait entreprendre la négociation de la sécession du Québec du Canada.

Il est vrai qu'au lendemain de la conférence de Mont-Tremblant le gouvernement Chrétien est d'humeur massacrante. C'est que Lucien Bouchard et Joseph Facal, ministre délégué aux Affaires intergouvernementales canadiennes, ont pu profiter d'une tribune exceptionnelle pour vilipender le plan B du gouvernement fédéral et dénigrer son interprétation abusive de l'avis de la Cour suprême. Présent à cette conférence, les membres de la délégation du Bloc Québécois ont pu s'assurer que leur critique du fédéralisme était entendue, tandis que, pour ma part, je réussissais à faire dire, devant des journalistes qui s'en sont délectés, à George Reid, vice-président du Parlement écossais, que la règle du 50 % + 1 était tout à fait acceptable et qu'elle devrait être appliquée dans tout éventuel référendum sur l'indépendance de l'Écosse. Bref les souverainistes tiennent la vedette à cette conférence de Mont-Tremblant qui, pour le gouvernement Chrétien, se solde par un échec.

Du reste, les interventions subséquentes du ministre des Affaires intergouvernementales vont dans ce sens. Dans les semaines qui séparent la conférence du Mont-Tremblant de la rentrée parlementaire, Stéphane Dion agite un doigt menaçant en direction du gouvernement du Québec. Interpellant Lucien Bouchard, il l'avertit que, s'il persiste dans son idée de référendum, le gouvernement du Canada aura le *devoir* de dicter des règles “raisonnables” de clarté et que le non-respect de ces règles entraînerait automatiquement le refus d'Ottawa de négocier la sécession.

Le discours du Trône du 12 octobre 1999 confirme la volonté du gouvernement fédéral d'agir sur le terrain de la sécession du Québec et de ranimer la dimension juridique du plan B, bien que les actions qu'il envisage n'y soient pas précisées. Érigeant en principe l'exigence de clarté sur laquelle ont insisté les juges de la Cour suprême, le gouvernement déclare dans ce discours :

> Même si les Québécois ne veulent pas un troisième référendum, le gouvernement du Québec continue de parler d'en tenir un autre. Le gouvernement du Canada réaffirme donc l'engagement qu'il a pris envers les Québécois et tous les autres Canadiens, à savoir que le principe de clarté énoncé par la Cour suprême du Canada sera respecté.

Comment le gouvernement canadien entend-il faire respecter ce « principe » de clarté et quelles sont les implications d'une telle résolution ? On en est réduit aux conjectures, comme l'exprime ma réplique à ce discours :

> … le gouvernement du Canada, qui exige des autres la clarté, se réfugie derrière un principe de clarté, que la Cour suprême n'a pourtant pas érigé au rang de principe constitutionnel, pour ne rien révéler de ses intentions. Il garde les portes grandes ouvertes, pour s'immiscer dans le processus référendaire québécois.

Tout au long de l'automne 1999, des rumeurs d'une action fédérale imminente circulent et les supputations vont bon train sur la colline parlementaire. Ces rumeurs sont d'ailleurs entretenues par le premier ministre et le ministre des Affaires intergouvernementales eux-mêmes à leur sortie des Communes et des réunions du Conseil des ministres. Les principales hypothèses concernent la nature de l'intervention anticipée : s'agira-t-il d'une déclaration ministérielle, d'une motion ou d'un projet de loi ? On spécule aussi sur les modalités d'application du "principe de clarté". Les règles fédérales établiraient-elles des normes de clarté par rapport à la question, comme l'avait laissé présager le ministre Dion ? La question référendaire devrait-elle supprimer toute référence à l'idée de partenariat ? Imposera-t-on une définition de ce qui constitue une majorité claire ? Une majorité qualifiée de 60 % ou davantage serait-elle exigée ?

L'on fait aussi état des dissensions de l'aile québécoise du Conseil des ministres : Paul Martin aurait émis des réserves sur la pertinence de mesures additionnelles et Pierre Pettigrew s'y serait opposé. On dit en outre que, à l'instar du premier ministre, Stéphane Dion préconise la voie législative et qu'il doit convaincre ses collègues qu'il s'agit de la formule par excellence, en dépit du fait qu'un projet de loi risque de donner aux partis d'opposition, notamment au Bloc Québécois, matière à de multiples débats et de les inciter à faire de l'obstruction.

Quant au caucus libéral, la rumeur veut qu'on lui ait présenté les intentions du gouvernement. C'est au caucus du Québec qu'il y aurait eu une certaine opposition.

Pendant que les libéraux délibèrent sur la voie à suivre pour donner des « dents juridiques » au plan B, les députés du Bloc Québécois évitent d'interpeller le gouvernement en Chambre à propos de ses intentions. Nous avions décidé de pas entrer dans le jeu du ministre Dion, car, après tout, c'était à lui, et à lui seul, de convaincre ses collègues quant au bien-fondé de son entreprise.

Puis, devant l'évidence que le gouvernement Chrétien s'apprête à aller de l'avant, le Bloc ouvre le feu. Le 22 novembre, le ministre Dion a à répondre à une série de questions sur la notion de question claire. Il entame alors un refrain que tous entendront souvent au cours des prochains mois : « Dans la question [de 1995], il y avait deux enjeux en même temps, soit un enjeu sur l'indépendance et un enjeu sur le remariage avec le Canada. Cela n'est pas une question claire de l'avis même de la grande majorité des Québécois. » Lorsqu'on lui fait remarquer que les trois partis politiques représentés à l'Assemblée nationale sont contre toute intervention du gouvernement fédéral concernant l'énoncé de la question référendaire, le ministre réplique :

> [I]l ne s'agit évidemment pas d'imposer une question dans le cadre d'un référendum provincial. Le gouvernement du Canada et la Chambre des communes ne peuvent pas imposer une question dans un référendum tenu par le gouvernement d'une province. Mais, il y a cependant deux choses : premièrement, la question de 1995 était une question péquiste,

> le Parti libéral à l'Assemblée nationale ne l'approuvait pas et le chef du parti de l'époque avait dit que la question était frauduleuse : deuxièmement, on n'amènera jamais le gouvernement du Canada à négocier la scission du Canada, la fin du Canada pour les Québécois, sur une question frauduleuse.

Le lendemain, une autre question, toujours adressée à Stéphane Dion, vise à cerner l'argumentation du gouvernement fédéral sur sa conception d'une majorité claire. La question : « Comment le gouvernement peut-il usurper les pouvoirs de l'Assemblée nationale et vouloir imposer une règle autre que la règle du 50 % + 1 ? » obtient la réponse suivante : « Lorsqu'on choisit de briser un pays, c'est quasi irréversible. C'est pourquoi les démocraties sont plus exigeantes pour les décisions graves et irréversibles. » Dans les jours qui suivent, alors que les députés du Bloc Québécois se font insistants sur la notion de majorité claire, le ministre fait appel à des comparaisons pour étayer son argumentation. Il mentionne tour à tour les référendums municipaux tenus au Québec, plus particulièrement celui de Mont-Tremblant, le récent référendum australien sur la monarchie et le référendum concernant l'accord des Nisga'a.

Des avis juridiques sur la clarté

De plus en plus convaincu que le gouvernement Chrétien passerait bientôt à l'action, le Bloc Québécois décide de solliciter et de rendre public des avis juridiques sur le sens donné par la Cour suprême du Canada aux expressions « majorité claire » et « question claire ». Un premier est émis par le professeur Henri Brun, de l'Université Laval, à propos de la notion de « majorité claire ». Selon lui, la « majorité claire dont fait état la Cour suprême à titre de condition qui engendrerait pour le Canada l'obligation de négocier avec le Québec n'est rien d'autre que le résultat référendaire qui donnerait plus de 50 % du suffrage exprimé à l'option souverainiste. Ceci découle du fait que tel est le sens du substantif "majorité", non qualifié, et de ce que le qualificatif "claire" ne change rien à cette réalité ». Il aboutit à cette conclusion :

> [...] un refus de négocier fondé sur le seul fait que la majorité en faveur de la souveraineté n'aurait pas atteint 60 %, 55 % ou même 51 % du suffrage exprimé serait un acte inconstitutionnel. Un tel refus ne serait pas conforme à l'obligation constitutionnelle de négocier qui découle, selon la Cour suprême du Canada, et du principe démocratique et de la procédure d'amendement constitutionnel. Une telle attitude de la part du Canada serait normalement condamnée par la communauté internationale et serait de nature à légitimer l'accès du Québec à la souveraineté par déclaration unilatérale.

Cette opinion, le ministre Dion cherche à la tourner en dérision. De sa « chaire » de ministre, le professeur Dion, qui n'aime guère l'insulte mais qui a l'insulte facile, affirme avoir parlé de majorité simple, mais, ajoute-t-il, « les bloquistes ne sont pas obligés de se sentir visés quand on parle de simple ». Sur le même ton dédaigneux, il soutient que le professeur Brun « s'est trompé, [qu'] il se trompe encore aujourd'hui. »

Lors d'une réunion de la section Québec du Parti libéral du Canada, le premier ministre Chrétien demande à Lucien Bouchard d'accepter une trêve constitutionnelle à défaut de quoi il pourrait intervenir pour fixer les règles du prochain référendum au Québec. Le débat sur la « majorité claire » reprend de plus belle au Parlement. Tout en la situant dans sa perspective historique, et ayant bien en mémoire qu'il avait répété, à la Chambre des communes, des douzaines de fois, et ce avant, pendant et après le référendum, qu'il n'accepterait jamais la règle du 50 % + 1, le premier ministre peaufine l'argumentation fédérale contre cette règle et se livre le 29 novembre 1999 à d'étonnantes comparaisons : « Si ça prend les deux tiers de l'Assemblée nationale pour nommer le vérificateur général, le directeur général des élections et le protecteur du citoyen, et si ça prend aussi les deux tiers des votes pour expulser un syndicat de la CSN, on ne brisera pas un pays après un recomptage judiciaire, parce qu'il y a un vote qui est du côté pour briser un pays, parce que la personne en question avait oublié ses lunettes. » On reconnaît là la grande capacité d'argumentation du premier ministre !

Pendant que le gouvernement canadien met la dernière main à son projet, le Bloc dévoile un deuxième avis aussi fascinant que complexe, exprimé par Andrée Lajoie, professeure à l'Université de Montréal, cette fois sur la notion de question claire. D'après Andrée Lajoie, la clarté d'une question ne peut être évaluée *a priori* et c'est à ceux à qui une question référendaire est posée qu'il revient de décider de sa clarté :

> La Cour s'est bien gardée de définir ce qu'est une question claire, et son silence à cet égard nous empêche de cerner le contenu qu'elle y attacherait. Mais le raisonnement sur lequel elle fonde l'obligation de clarté – à savoir les exigences de validité démocratique applicables à toute modification constitutionnelle parmi lesquelles elle range un référendum sur la sécession – nous permet d'exclure de ce contenu éventuel certains éléments. Ainsi, ne peuvent être incluses dans les exigences de clarté ni l'obligation de ne faire porter la question que sur la sécession (comme si toute autre modification constitutionnelle était ambiguë en elle-même) ni celle de lui assurer un seul sens univoque pour tous (comme si toutes les modifications antérieures, et notamment celles de 1982, n'étaient susceptibles que d'une seule interprétation).
>
> En fait, la Cour, qui a expressément refusé de clarifier son concept de clarté, a bien saisi qu'une telle exigence était illusoire, puisque la production du sens des mots est un processus social auquel participent, autant que leur auteur, ceux à qui ils s'adressent et la communauté interprétative à laquelle ils appartiennent tous. Dans ces circonstances, il n'y a aucun terme magique qui serait compris par tous de la même manière, et c'est aux Québécois, auxquels s'adresse la question, de décider de sa clarté. Si les acteurs politiques fédéraux ou autres participants à la Confédération refusaient de prendre acte de

l'appréciation collective des Québécois quant à la clarté de la question, ils s'exposeraient au jugement de la communauté internationale quant à leur bonne foi à l'égard des négociations imposées par la Cour.

À la présentation de cet avis, le 7 décembre 1999, les journalistes manifestent un intérêt certain pour le rôle que pourrait être appelé à jouer Ottawa dans l'évaluation de la clarté de la question. Rétrospectivement, on peut soupçonner que certains d'entre eux avaient été informés, par le bureau du premier ministre ou celui du ministre Dion, de l'intention du gouvernement de confier à la Chambre des communes la tâche de juger de la clarté de la question.

Les fourberies de Dion

Je garde un souvenir plutôt désagréable de la journée du 10 décembre 1999. J'étais revenu la veille dans ma circonscription, le leader parlementaire du Bloc, Michel Gauthier, m'ayant assuré que le gouvernement n'entendait pas accomplir les gestes que tous attendaient. Il n'avait d'ailleurs pas donné l'avis qui l'autoriserait à déposer, soit une motion, soit un projet de loi. Or j'apprends par un bulletin de nouvelles que le ministre des Affaires intergouvernementales a convoqué les journalistes pour leur faire part de ses plans au sujet du référendum québécois. Informé à 7 heures du matin qu'un projet de loi serait déposé, Michel Gauthier n'y comprend rien. Il a pourtant reçu l'assurance du leader du gouvernement, Don Boudria, la veille, que le gouvernement ne déposerait aucun projet de loi le lendemain. Il s'empressera, d'ailleurs, de demander au ministre Boudria d'expliquer aux députés et à la population « qu'il n'y a eu aucune entente entre les leaders parlementaires, comme c'est l'habitude de le faire, que tout a été tenu secret et que la position gouvernementale a changé durant la nuit ».

Je dois donc rentrer à Ottawa, en vitesse, pour participer aux hostilités. Car il s'agit bien d'hostilités. Et elles commencent avec une question du chef bloquiste Gilles Duceppe qui demande au premier ministre de confirmer son intention et celle de son gouvernement « de mettre en tutelle l'Assemblée nationale du Québec ». Jean Chrétien déclare à la Chambre que « le projet de loi énonce clairement que l'Assemblée nationale peut tenir un référendum aux conditions qu'elle veut » et que « le projet de loi dicte strictement ce que le parlement du Canada fera s'il y a un référendum ». Il rappelle le rejet de son offre de trêve constitutionnelle par le gouvernement du Québec pour justifier le dépôt du projet de loi : « Si M. Bouchard avait accepté l'offre que je lui ai faite, il y a deux semaines, nous ne serions pas obligés de déposer un projet de loi qui va clarifier les conditions – s'il y a un référendum – pour que ce Parlement puisse agir. »

À midi, après la période de questions, le ministre Stéphane Dion use d'une astuce, lui qui semble avoir tant en horreur les « astuces » des souverainistes : il dépose à la Chambre des communes un « avant-projet » de loi sur la clarté qui ne peut faire l'objet de débats en Chambre. Quelques minutes plus tard, il décrit et explique aux journalistes plutôt qu'aux parlementaires cet avant-projet de loi visant à donner effet à l'exigence de clarté formulée par la Cour suprême du Canada dans son avis sur la sécession du Québec. Les raisons qui expliquent une telle démarche et l'urgence de déposer le projet de loi échappent à bien des observateurs. Sans doute le premier ministre veut-il que les débats en deuxième lecture soient engagés la semaine suivante, qui est la dernière semaine avant la relâche de Noël, et faire franchir rapidement l'une des étapes au projet de loi. En fait, on le constatera, quelques semaines plus tard, c'est la tenue du Congrès du Parti libéral du Canada qui dicte l'échéancier d'examen du projet de loi ; le calendrier du gouvernement était tout entier commandé par cet événement partisan.

Les débats sont mal partis. Ayant été tenu ou non dans l'ignorance des intentions du ministre Dion, le leader du gouvernement a induit les leaders des autres partis en erreur et a autorisé un subterfuge qui laisse présager le pire pour la suite des événements. Les discussions commencent hors de l'enceinte du Parlement et opposent d'abord les journalistes au ministre Dion. Durant sa conférence de presse du 10 décembre, le ministre est appelé à justifier le rôle qu'il entend confier à la Chambre des communes dans l'appréciation de la clarté de la question et de la majorité et à s'expliquer sur les dispositions – dont la clarté est mise en doute par certains journalistes – relatives à la notion de majorité claire.

Je dois donner la réplique à Stéphane Dion à un point de presse avec les journalistes de la tribune parlementaire au début de l'après-midi de ce fameux 10 décembre. Je ne peux m'empêcher de souligner qu'il est choquant que le ministre ait choisi la Journée internationale des droits de l'homme, celle de la célébration de la Déclaration universelle des droits de l'homme, pour rendre public un tel avant-projet de loi. Une des dispositions de la Déclaration universelle n'énonce-t-elle pas justement que « la volonté du peuple est le fondement de l'autorité des pouvoirs publics » ? Or la loi reconnaissant à la Chambre des communes un droit de regard sur un acte de l'Assemblée nationale du Québec et sur les choix du peuple québécois n'est rien d'autre qu'une permission donnée à l'État canadien de s'opposer à la volonté de ce peuple. Car c'est bien de cela qu'il s'agit. La Chambre des communes, composée d'une très nette majorité de députés des autres provinces (226 sur 301), pourrait se voir confier la responsabilité de juger de la clarté de la question et de la majorité et de décider si le gouvernement doit ou non s'acquitter de son obligation de négocier.

Après une fin de semaine passée à analyser en profondeur l'avant-projet de loi et à consulter leurs partenaires, les députés du Bloc Québécois sont prêts à affronter Jean Chrétien et Stéphane Dion sur le parquet de la Chambre. L'avant-projet de loi sur la clarté est loin de faire l'unanimité au Québec et une contestation par l'ensemble des partis politiques et de la population du Québec se dessine. J'ai quant à moi constaté que les pouvoirs conférés à la Chambre des communes s'apparentent au pouvoir de désaveu que la Constitution du Canada attribue au gouverneur général à l'égard de lois provinciales, mais qui est tombé en désuétude, selon l'avis même de la Cour suprême dans le renvoi sur la sécession du Québec.

C'est pour qu'il justifie sa position sur ces deux points, soit l'opposition générale du Québec au projet de loi et le pouvoir de désaveu sur les actes de l'Assemblée nationale qu'elle donne à la Chambre des communes, que, le lundi 13 décembre, je questionne le premier ministre. La réponse vient de Stéphane Dion qui, bien sûr, refuse d'admettre que le gouvernement se range du côté du reste du Canada contre le Québec. Si l'on suit son raisonnement, le gouvernement ne peut, objectivement, être contre le Québec, puisque son projet de loi est « pro-Québécois », « pro-démocratie ». Bien entendu, il refuse aussi de reconnaître que le projet de loi nie la démocratie québécoise. « Les Québécois, souligne le ministre Dion, ont la chance d'avoir deux gouvernements dotés de pouvoirs constitutionnels, deux parlements dotés de pouvoirs constitutionnels, et la démocratie québécoise s'exprime ici aussi. »

On peut se demander à quel genre d'expression de la démocratie québécoise le ministre fait référence. Le Parti libéral du Canada n'a plus la cote auprès des Québécois qui, depuis 1984, n'envoient plus une majorité de libéraux à Ottawa. Aux scrutins de 1993 et de 1997, seule une poignée de candidats libéraux, la plupart dans des circonscriptions anglophones, ont été élus. Dans un gouvernement libéral, ceux qu'a choisi la majorité des Québécois pour la représenter à Ottawa, s'ils peuvent « exprimer » la démocratie québécoise, ont en tout cas bien peu de chances de la faire entendre. De toute évidence, le gouvernement canadien actuel tient pour bien peu de chose cette démocratie québécoise. En effet, ne sait-il pas déjà qu'au terme des débats la majorité des députés du Québec, non seulement les bloquistes, mais aussi les quatre députés progressistes-conservateurs, voteront contre son projet de loi ? Et, comme si cela ne lui suffisait pas que la démocratie québécoise soit étouffée au Parlement fédéral, voilà qu'il cherche à la museler aussi à l'Assemblée nationale.

Non, la démocratie québécoise n'est pas entre de bonnes mains quand des ministres et des députés libéraux du Québec la prennent en otage et veulent imposer une tutelle au Québec. C'est une démocratie de tutelle que cette démocratie canadienne, qui doit s'en remettre aux élus du reste du Canada pour faire adopter le projet de loi sur la clarté.

Mais ce paradoxe échappe, semble-t-il, au ministre des Affaires intergouvernementales. Le lendemain, continuant sur sa lancée, il vante les vertus démocratiques de la loi qu'il compte faire adopter. « La vérité, dit-il dans son discours de présentation du projet de loi en deuxième lecture, est que, en s'obligeant ainsi par la loi à négocier la sécession en cas de clarté, le Canada fait preuve d'une ouverture inédite dans le monde démocratique face au phénomène sécessionniste. » Toutefois cette ouverture semble avoir ses limites dans le monde démocratique canadien, puisque, s'agissant de la sécession du Québec, le ministre a une conception assez particulière de la démocratie :

> Il est courant, en démocratie, d'exiger une majorité référendaire claire avant de procéder à un changement radical aux conséquences virtuellement irréversibles. C'est le cas d'un vote pouvant conduire à la négociation d'une sécession. Il ne faudrait jamais entreprendre de telles négociations sur la base d'une majorité incertaine qui pourrait fondre face aux difficultés que pose immanquablement la scission d'un pays.

C'est cette hypocrisie que je m'emploierai à condamner dans les jours, les semaines et les mois qui suivront. Cette prétendue ouverture démocratique sur la sécession, dont le projet de loi C-20 se veut la plus parfaite illustration, est un leurre, une astuce fédérale. Sous le couvert d'une reconnaissance du droit de sécession, le projet de loi est en réalité un instrument à la disposition du gouvernement fédéral pour empêcher toute sécession. Les « fourberies de Dion » ont d'ailleurs été parfaitement comprises par un chroniqueur du *National Post*, Andrew Coyne, qui, le 13 décembre 1999, demande : « Si l'on ose exclure la sécession en pratique, pourquoi se donner la peine de l'autoriser en principe ? »

En réponse au discours de Stéphane Dion le 14 décembre, je présente, au nom du Bloc Québécois, un troisième et dernier avis juridique émis par le juriste français Alain Pellet, à qui le Bloc Québécois avait demandé d'exprimer ses vues sur les opinions d'Henri Brun et d'Andrée Lajoie. J'avais fait parvenir le texte de l'avant-projet de loi à M. Pellet sitôt après son dépôt, le 10 décembre, et demandé à celui-ci d'essayer d'en tenir compte dans la rédaction de son avis juridique.

L'avis exprimé par le professeur Pellet, membre éminent de la Commission du droit international de l'ONU, se révèle très sévère, sinon dévastateur. Les quatre remarques générales qu'il formule méritent d'être reproduites ici :

> 1° Il ne m'appartient pas de porter un jugement global sur le bien-fondé des raisonnements suivis par la Cour suprême du Canada dans son avis de 1998. Toutefois, je crois devoir préciser que, sous réserve de certains points de détail (concernant notamment certains aspects relatifs au droit international), ils m'ont semblé globalement convaincants.
>
> 2° Je ne suis pas non plus appelé à me prononcer sur le principe même sur lequel repose le projet de loi, à savoir la possibilité de déterminer à l'avance les règles qui seront suivies advenant un nouveau référendum d'autodétermination au Québec. En revanche, j'ai de sérieux doutes sur le fait que le Gouvernement canadien soit en droit de procéder unilatéralement à une telle détermination.
>
> 3° L'idée centrale sur laquelle repose l'Avis de la Cour suprême me paraît être en effet que l'ensemble du processus doit être

> dominé par l'idée de « négociations » (le mot n'apparaît pas moins de 57 fois, au singulier ou au pluriel, dans l'Avis). Il m'apparaît en conséquence que, s'il peut y avoir des avantages à ce que les « règles du jeu » soient fixées à l'avance, il n'est guère conforme à l'esprit même de l'Avis de la Cour suprême qu'elles le soient en l'absence de toute négociation préalable.
>
> 4° Pour la même raison, j'éprouve quelque doute sur le « double veto » qui semble clairement constituer l'objet même de la loi : un *veto ex ante*, par l'appréciation de la clarté de la question, que se réserve le pouvoir fédéral et un *veto ex post*, par celle de la clarté de la majorité exprimée (par ailleurs, la section 3 (1) du projet réaffirme l'absence de tout droit à la sécession unilatérale même à la suite de négociations effectives, réaffirmation dans laquelle on peut voir la possibilité d'un « troisième veto »).

Le professeur Pellet confirme donc les interprétations avancées par les professeurs Brun et Lajoie relativement aux notions de question et de majorité claires. Sur ce dernier point, le juriste français fait valoir que « c'est l'essence même de la démocratie, une décision est prise "démocratiquement", si elle recueille la moitié des suffrages qui se sont exprimés plus un et la quasi-totalité des référendums d'autodétermination que l'on peut recenser se sont déroulés conformément à ce principe cardinal ». Voilà qui est bien clair.

Une réplique législative du Québec

L'attention des députés du Bloc Québécois se tourne vers Québec, qui avait déclaré qu'il entendait répliquer fermement à Jean Chrétien. Le ministre Facal avait, dès le 10 décembre, annoncé « une réplique législative qui respectera, affirmera les prérogatives de l'Assemblée nationale du Québec et le dépôt d'un projet par le gouvernement du Québec dans le respect des dispositions régissant le fonctionnement de notre Assemblée nationale ». Il avait informé la presse qu'un avis serait déposé à l'Assemblée nationale le mardi 14 décembre relativement à ce projet de loi et que celui-ci serait soumis le plus rapidement possible à l'Assemblée nationale. Un Conseil des ministres spécial et un caucus des députés du Parti Québécois avaient d'ailleurs eu lieu le 13 décembre, de même qu'un Bureau national élargi du Parti Québécois auquel une délégation du Bloc Québécois, dont je faisais partie, avait été invitée.

Le projet de loi n° 99 sur l'exercice des prérogatives et droits du peuple québécois et de l'État du Québec est déposé à l'Assemblée nationale le mercredi 15 décembre. Ma première constatation est qu'il s'agit d'un texte qui, à bien des égards, ressemble à un texte de nature constitutionnelle, à une véritable loi fondamentale. De toute évidence, ce projet de loi est une réponse au projet de loi C-20, mais semble vouloir aller au-delà.

Stéphane Dion accueille froidement cette réponse. S'il avait pour sa part, dit-il, déposé un projet de loi sur la clarté, le gouvernement du Québec vient d'en déposer un sur l'ambiguïté. Une bataille est à prévoir entre les deux parlements, chacun prétendant pouvoir légiférer sur les règles référendaires et établir les modalités d'accession du Québec à la souveraineté. Ce nouvel affrontement est la conséquence logique de la volonté de donner un caractère juridique à la sécession du Québec. En allant de l'avant avec son propre projet de loi, le gouvernement du Québec tente donc de battre en brèche l'argument juridique qui sous-tend le plan B.

Il ne reste que quelques jours avant la fin des travaux de la Chambre, pendant lesquels les députés du Bloc poursuivent le combat. Le gros de leur interventions durant les périodes de questions concerne le projet de loi C-20. Pour ma part, je fais porter mes questions sur cette loi-cadenas qu'est le projet de loi C-20, une loi destinée à verrouiller l'avenir du Québec. La critique de Claude Ryan, qui avait qualifié les dispositions du projet de loi C-20 en matière de majorité d'un ridicule consommé, inspire une nouvelle question, le 16 décembre, et j'en profite pour dire ce que je pense de la clarté du ministre Dion: « Alors que le ministre des Affaires intergouvernementales prétend qu'il fait œuvre de clarté, tout ce qu'il touche devient confus. Alors qu'il accuse les autres d'ambiguïtés, il menace de bafouer les règles les plus élémentaires de la démocratie. » Dion, ou la clarté dans la confusion, en définitive.

C'est sur ce sentiment que la clarté engendre en réalité de la confusion que se termine la session parlementaire. Les derniers échanges à la Chambre des communes permettent au ministre des Affaires intergouvernementales de faire entrer en scène Jean-Jacques Rousseau, « ce grand philosophe des Lumières, ce grand penseur de la démocratie qui a tant façonné le dernier tiers de notre millénaire », qu'il se plaît à citer: « Plus les délibérations sont importantes et graves, plus l'avis qui l'emporte doit approcher de l'unanimité. » Mais alors, si l'unanimité est importante, comment expliquer qu'en cette Chambre certains en font si peu de cas en ce qui touche le projet de loi du ministre ?

L'hiver des bâillons

La Chambre des communes doit reprendre ses travaux le 7 février 2000. Entre-temps, il y aura les célébrations de l'an 2000 et le IVe Congrès du Bloc Québécois au cours duquel le chef Gilles Duceppe annonce la création d'un chantier exclusivement consacré au thème de la démocratie, dont les travaux doivent commencer au printemps 2000. Sur ce chantier se greffera un Comité de réflexion et d'action stratégique sur la Constitution.

Le 5 février 2000, le Parti Québécois rend publique une brochure intitulée *C'est clair : On veut décider à notre place* dans laquelle il dénonce le fait que le gouvernement fédéral cherche à avoir la haute main sur l'avenir des Québécois en conférant un droit de veto aux parlementaires du Canada anglais et en instaurant des règles différentes de celles de l'ONU. Le document met également en lumière une contradiction en posant les questions suivantes : « En vertu du projet de loi fédéral, si les questions référendaires de 1980 n'étaient pas suffisamment claires, pourquoi les fédéralistes répètent-ils toujours qu'à ces deux occasions le Québec a choisi "clairement" le Canada ? Comment les résultats de 1980 et de 1995 pouvaient-ils être clairs si les questions ne l'étaient pas ? Pourquoi Ottawa veut maintenant changer les règles qui ont prévalu lors de ces deux référendums auxquels il a participé ? »

Ces questions seront d'ailleurs posées à de multiples reprises lors du débat sur le projet de loi C-20 qui se poursuivra à la Chambre des communes pendant l'hiver et le printemps de l'an 2000. Un débat qui sera réduit au strict minimum par le gouvernement Chrétien qui fera appel à de multiples motions d'attribution de temps, mieux connues dans le jargon parlementaire comme des « bâillons ». À trois reprises, à toutes et chacune des étapes de l'adoption du projet de loi, le leader du gouvernement Don Boudria se lèvera pour annoncer que le temps alloué aux débats sera limité à un certain nombre de jours, d'heures plutôt. Sur la colline parlementaire à Ottawa, ce sera l'hiver des bâillons !

Le Comité législatif chargé d'étudier le projet de loi C-20 sera l'une des victimes de ces multiples bâillons. Mis sur pied pour entendre des témoignages et faire l'étude du projet de loi C-20 article par article, ce comité parlementaire se verra imposer par le gouvernement et le secrétaire parlementaire du ministre Dion, le député manitobain Reg Alcock, des ordres très précis. Pour l'essentiel, il s'agira d'assurer que les travaux du Comité seront expéditifs, pour que le projet de loi C-20 puisse être adopté, pour répondre au souhait du premier ministre, « le plus rapidement possible ». Le Comité verra ainsi son nombre de témoins limité à 45 (seuls 41 témoins seront finalement entendus) et ne disposera que de quatre heures pour l'étude article par article.

Pendant les huit jours que dureront les travaux du Comité, les arguments présentés lors du débat en deuxième lecture seront repris et approfondis par les uns et les autres. Lors du premier témoignage devant le Comité, le ministre Dion se demandera : « Qui a peur de la clarté ? » Une formule qu'il a déjà utilisée dans une réponse à une question que je lui avais posée le 15 décembre et que quelqu'un a dû aimer dans son entourage. Mais, pour quiconque a une certaine culture littéraire, l'allusion à la pièce de l'Américain Edward Albee (*Who's Afraid of Virginia Woolf ?*) n'est peut-être pas la mieux choisie. Car cette pièce de théâtre de l'auteur de *The American Dream* (peut-être le ministre Dion aurait mieux fait d'adapter plutôt ce titre et de parler de son projet d'écarter toute menace de séparation comme étant *The Canadian Dream*) n'est rien de moins que le dialogue d'un couple irascible et d'un certain âge, et dont le titre était à l'origine celui qui a été maintenu pour son dernier acte « Exorcism ». Ainsi, par son projet de loi, le ministre voudrait sans doute exorciser les démons séparatistes qui hantent trop de Québécois.

En réplique à mon intervention qui cherche à situer le projet de loi C-20 dans le plan B du gouvernement, le ministre Dion devient familier :

> Qu'est-ce qu'il offre ? Qu'est-ce que je peux répondre à cela ? Ce sont des slogans. C'est mieux, dois-je dire, que la propagande odieuse qui a été envoyée par lui dans tous les foyers québécois, où on m'accuse personnellement. C'est écrit : « Stéphane Dion ne négociera jamais. » Qu'est-ce que tu en sais, Daniel Turp ? C'est un procès d'intention et tu as envoyé cela dans tous les foyers québécois. Je trouve cela indigne parce que tu sais que ce n'est pas le cas. Ou si tu le penses vraiment, c'est un procès d'intention que tu fais.

Ce tutoiement de Stéphane Dion choque. À tous les bulletins télévisés ce soir-là, le « Qu'est-ce que tu en sais, Daniel Turp ? » peut être entendu et montre un ministre tendu, arrogant et discourtois, perdant littéralement les pédales.

Lorsque je relis les procès-verbaux du Comité législatif, je constate qu'une place minimale a été faite aux personnes et groupes ayant des objections au projet de loi C-20. Si les 10 témoins du Bloc Québécois ont présenté de telles objections, seuls trois autres témoins ont véritablement remis en question le bien-fondé du projet de loi : Claude Ryan, l'ancien chef du Parti libéral du Québec, Joe Clark, le chef du Parti progressiste-conservateur, et Gordon Gibson de l'Institut Fraser. D'autres personnes et groupes du Canada anglais s'opposant à ce projet de loi, et ayant demandé d'être entendus par le Comité (notamment la Coalition « Lettre ouverte pour la défense du droit démocratique du Québec à l'autodétermination ») ont essuyé une fin de non-recevoir du Comité. De toute façon, le système de quota de témoins a été conçu pour réduire au minimum le nombre de témoins défavorables au projet de loi puisque seuls les deux partis s'opposant au projet de loi, le Bloc Québécois et le Parti conservateur, sont susceptibles de vouloir faire entendre des objections.

Je constate aussi que les travaux du Comité se sont voulu en quelque sorte un combat d'« *elder statesmen* », d'anciens hommes politiques. Ainsi, Claude Castonguay, Claude Ryan, Gil Rémillard, Ed Broadbent et Bob Rae sont venus tour à tour présenter leur opinion sur le projet de loi et, à l'exception de Claude Ryan, sont venus dire au Comité ce que le gouvernement Chrétien et son ministre des Affaires intergouvernementales voulaient entendre. Je n'ose croire que les nominations des uns et des autres à des postes dans l'administration fédérale ou la générosité de celle-ci dans le financement des projets des uns et des autres ont pu expliquer les positions de ceux-ci sur le projet de loi C-20, mais leur appui à l'initiative fédérale est surprenant tellement il est sans nuances et réserves.

Notre ami Cassoulet

L'expérience du travail du comité m'a également permis de constater jusqu'à quel point les députés de la majorité libérale sont les pantins d'une machine gouvernementale lorsqu'il s'agit de débattre d'un projet de loi d'initiative gouvernementale d'importance. Pour alimenter et surveiller les députés libéraux du Comité, le ministre Dion avait désigné son adjoint législatif Geoffroi Montpetit, ce travailleur infatigable dont il avait parlé lors de son témoignage devant le Comité. Il fallait voir ce travailleur en action ! Pendu au bout de son téléphone cellulaire, recevant des instructions de ceux qui, au Conseil privé ou ailleurs, écoutaient les délibérations du Comité à la télévision, il rédigeait à l'intention des députés libéraux des questions et leur passaient des notes pour réagir aux propos des députés de l'opposition. Cela était devenu gênant pour les membres du Comité, dont certains lisaient des questions sans véritablement en comprendre le sens.

C'était devenu tellement ridicule que le député libéral Irwin Cotler s'est senti obligé de me dire qu'en ce qui le concernait, il rédigeait lui-même ses questions. C'était devenu tellement loufoque, qu'on trouva un pseudonyme pour décrire Geoffroi Montpetit. On le baptisa « Cassoulet ». Je dois avouer que je ne connaissais pas ce personnage de l'émission pour enfants *Major Plum Pudding* qui avait tenu l'écran de Radio-Canada à fin des années 70, mais il semble que celui-ci était constamment au bout du fil pour rapporter à son « Chef » les faits et gestes des uns et des autres.

Notre ami Cassoulet continua son petit cirque pendant toute la durée des travaux. Mais il eut également l'occasion de gérer une crise grave. En effet, à l'occasion d'un échange lors du témoignage de Jean-François Lisée, l'un des députés libéraux, Dennis Mills, admit que si les Québécois devaient voter à 50 % plus un, il faudrait envisager de négocier avec leur gouvernement. Devant cet accroc à la ligne de parti, le pauvre député reçut l'assistance de Cassoulet pour gérer les multiples appels du bureau du premier ministre, du ministre des Affaires intergouvernementales et du Conseil privé et afin de tenir un point de presse pour préciser son point de vue sur la question. Il revint sur ses paroles et dit aux journalistes le contraire de ce qu'il avait affirmé devant le Comité. Lui aussi hérita d'un sobriquet : à partir de ce moment il devint « Monsieur 50 % plus un ».

Une guerre procédurale

Si le rouleau compresseur libéral passe même sur le dos de ses députés, il ne passera pas sur celui des députés du Bloc avant qu'ils n'aient livré une guerre procédurale au Comité. C'est ainsi que mon collègue Michel Guimond commencera un *filibuster* à l'occasion d'une motion d'attribution de temps que le Comité veut imposer à ses propres travaux. Il prendra la parole à plusieurs reprises pendant la semaine du 21 février 2000 et offrira une leçon d'histoire du Québec que de nombreux téléspectateurs – et sans doute certains membres du Comité – ont dû apprécier. Le *filibuster* du député de Beauport-Montmorency-Côte-de-Beaupré-Île-d'Orléans empêche la majorité libérale d'imposer le bâillon aux travaux du Comité. C'est la Chambre des communes elle-même qui finira par l'imposer. Michel Guimond pourra toutefois entreprendre un nouveau *filibuster* sur la base d'une autre motion que nous avons nous-mêmes présentée au Comité. Celui-ci durera quatre heures et quarante minutes. Mon collègue présentera une exégèse des débats relatifs au statut politique et constitutionnel du Québec. À la fin de cette rude épreuve, plusieurs députés du Bloc Québécois sont là pour témoigner à Michel Guimond leur admiration devant ce tour de force et cet acte de courage.

Mais la réalité du bâillon nous rattrapera une fois de plus. Le président met successivement aux voix les trois articles, le préambule, le titre et le projet de loi. Ils sont tous adoptés par huit voix contre six, le porte-parole du Nouveau Parti démocratique étant absent au moment du vote. Aux votes des députés du Bloc Québécois et du Parti progressiste-conservateur s'ajoutent donc ceux des trois députés du Parti de la Réforme. Il s'agira, dans ce dernier cas, d'un vote de protestation contre les abus parlementaires de la majorité, car ces réformistes n'hésiteront aucunement à soutenir les libéraux lors des étapes ultérieures d'examen du projet de loi C-20.

Il n'y eut rien à célébrer lorsque les travaux du Comité législatif prirent fin. Après quelques poignées de mains, quelques accolades à ceux et celles qui avaient travaillé si fort pendant les deux dernières semaines, je rentrai à pied, seul, très seul. M'habitait toutefois le sentiment d'avoir, avec Michel Guimond et mes autres collègues, défendu devant le Comité les intérêts du Québec, de m'être acquitté de cette tâche parfois si ingrate de représenter le Québec à Ottawa. Le Parlement avait été pris en otage par un Parti libéral qui multipliait les bâillons, un parti qui nous réservait sans doute, cela était devenu tellement prévisible, d'autres bâillons pour l'étape du rapport et la troisième lecture. Il fallait donc se préparer à poursuivre le combat. L'hiver des bâillons n'était pas terminé !

Les 1000 amendements Lequain

Dès le dépôt du projet de loi C-20, nous avions confié à un recherchiste le soin de préparer des amendements pour l'étape du rapport et, dans la mesure du possible, de les multiplier à l'infini. Homme rigoureux et perfectionniste, Matthieu Lequain rédigera plus de 1000 projets d'amendements. Il prend soin de les formuler de telle sorte que, sans pouvoir être interprétés comme exprimant un accord sur le fond du projet de loi, ils soient jugés recevables par le greffier de la chambre. Objectif atteint : 398 d'entre eux le seront, auxquels s'ajouteront 13 motions des autres partis d'opposition. Durant le cours de l'examen de la recevabilité de nos motions d'amendements, plusieurs incidents procéduraux se produiront. Ils donneront lieu à des questions de règlement et de privilèges, et culmineront avec une motion de censure à l'égard du président de la Chambre. Toutes seront rejetées, les unes après les autres, ou ne seront pas mises aux voix.

Mais, le lundi 13 mars, la guillotine tombe une fois de plus. Le troisième bâillon oblige le président à mettre fin aux débats à 17 h 00. Commencera alors un marathon de votes. Plusieurs heures sont d'abord consacrés à présenter chacune des motions et à reporter à plus tard le vote sur celles-ci. Mais, lorsque la votation commence à 22 h 35, le 13 mars, 399 votes devront avoir lieu. Il faudra pour cela 31 heures et 32 minutes, deux nuits complètes à la Chambre des communes, soit celle du lundi au mardi, et celle du mardi au mercredi. Notre collègue Stéphane Bergeron et son équipe de la « whipperie » mobilisent les députés et préparent un horaire afin d'assurer une présence continuelle de députés du Bloc Québécois au Parlement. Un tour de force dont notre whip peut s'enorgueillir, comme peut se féliciter le député de Charlevoix, Gérard Asselin, qui a participé au vote de chacune des motions, sans exception, et qui se sera donc levé à 399 reprises !

Toutes les motions d'amendement seront rejetées… sauf deux. Les motions n°s 67 et 80 du député Bill Blaikie, du Nouveau Parti démocratique, seront adoptées aux petites heures, le 14 mars. Celui-ci a réussi à convaincre le gouvernement d'intégrer les peuples autochtones au processus de consultation sur la clarté de la question et sur la majorité requise. Sans doute a-t-il réussi en raison du soutien et des tractations d'Irwin Cotler, le député libéral de Mont-Royal qui a cherché à arracher au gouvernement un accord sur les amendements présentés par plusieurs peuples autochtones ayant témoigné au Comité législatif. Ces amendements ont été repris à son compte par Bill Blaikie, le porte-parole pour les Affaires intergouvernementales du NPD. Un petit conciliabule entre le député Cotler et le premier ministre pourrait d'ailleurs avoir fait la différence sur cette question.

Le 15 mars 2000, à 6 h 07, le président ajourne les travaux de la Chambre dans une atmosphère sinistre. Le projet de loi sur la clarté vient de franchir une étape cruciale. J'aurai, quelques minutes auparavant, en visant Stéphane Dion du regard, crié mon indignation et affirmé que le Québec est libre, que la nation québécoise est souveraine.

L'iris au poing

Avant le vote en troisième lecture du projet de loi C-20, qui doit avoir lieu en fin d'après-midi, le 15 mars 2000, une période est réservée aux discours. Je m'insurge alors contre la tentative de bâillonner la nation québécoise et je condamne cette mesure inique. Je parlerai du fond du cœur, d'un cœur blessé par le mépris et l'arrogance des libéraux, mais aussi d'autres députés canadiens qui ne pourront plus jamais prétendre que *leur* Canada comprend *leur* Québec. Je mettrai l'accent sur le fait que la démocratie québécoise produit des leaders indépendantistes qui défendent les intérêts du Québec, et qu'on s'apprête à ignorer leurs objections légitimes. Je terminerai mon intervention par la lecture d'une déclaration solennelle, que j'intitulerai *Le Québec est libre, la nation québécoise est souveraine*. J'y affirmerai, au nom de mes collègues, « que le bien collectif le plus précieux pour les Québécoises et les Québécois est la liberté et que nulle autorité, y compris le Parlement canadien, ne saura priver leur nation du droit de maîtriser son destin collectif ».

Après ce discours, je ne peux retenir mes larmes. Ce sont celles d'un Québécois meurtri qui, dans un moment de découragement, se met à penser que ce pays du Québec, encore à naître, ne pourra jamais venir au monde en raison de cette inique Loi sur la clarté, cette basse œuvre de deux Québécois, Jean Chrétien et Stéphane Dion, et de leurs alliés canadiens.

La Chambre des communes, le haut lieu de la démocratie canadienne, adoptera son projet de loi sur la clarté. Le président met donc le projet de loi aux voix. 203 députés l'appuieront, 58 s'y opposeront. Tous les libéraux présents – aucun des 26 députés libéraux du Québec ne manque à l'appel – se lèvent. Tous les réformistes présents se lèvent ensuite. Les députés néo-démocrates se lèvent aussi, à l'exception de Svend Robinson et Libby Davies. Quelques conservateurs brisent les rangs, mais pas ceux du Québec. Lorsque le président invite les opposants au projet à se manifester, Gilles Duceppe et les députés du Bloc se lèvent, un à un, dignes et fiers de leur NON. Contrairement à la coutume, ils restent debout, car ce qui se passe est trop grave. Ils portent tous à la boutonnière un iris versicolore, l'emblème floral du Québec. Je m'en suis procuré un deuxième. Je le serre nerveusement dans ma main droite. Et lorsque le greffier mentionne mon nom, je me lève. L'iris au poing, je foudroie à nouveau d'un regard désapprobateur l'architecte du plan B. En écrivant ces lignes, je regarde la photographie de ce moment solennel que mon collègue Serge Cardin a tirée d'une vidéocassette et que j'ai transformée en affiche. J'y ai fait ajouter une vignette : *Daniel Turp et les députés du Bloc se sont tenus debout pour le Québec.*

Les fantômes de Trudeau au Sénat

Le débat sur le projet de loi C-20 se déplacera au Sénat où plusieurs semaines lui seront consacrées. Le Sénat créera également un Comité spécial pour entendre des témoins et étudier le projet de loi de façon plus approfondie. J'assiste à la première comparution de Stéphane Dion devant ce Comité, le 29 mai 2000, et je suis témoin de l'animosité (ou de l'inimitié) qui règne entre le ministre et certains sénateurs libéraux.

L'inimitié de la sénatrice Anne Cools, mais surtout l'animosité des fantômes de Pierre Elliott Trudeau au Sénat, Michael Pitfield, Serge Joyal et Jeremiah Grafstein.

Michel Vastel avait prédit dans une chronique du 31 mai 2000 que le projet de loi C-20 ne serait pas adopté avant l'ajournement d'été et d'autres craignaient (ou espéraient) que les sénateurs enterrent la Loi sur la clarté. Quant à moi, je n'ai jamais cru que la Chambre haute voudrait priver le gouvernement de ce nouvel outil qu'est la loi C-20. En vérité, les sénateurs cherchaient principalement à se réserver un rôle plus important dans le processus antidémocratique instauré par cette loi. Ils ne voulaient pas être seulement consultés par le gouvernement dans le processus de détermination de la clarté de la question et de la majorité requise. Ils voulaient, comme la Chambre des communes, et comme ils le font pour les lois, détenir un pouvoir décisionnel. Et certains sénateurs auraient aussi voulu que le Canada soit déclaré indivisible, considérant d'ailleurs que le principe d'indivisibilité était enchâssé implicitement dans la Constitution du Canada.

En lisant les interventions et discours de Stéphane Dion durant l'été 1999, j'en étais venu à la conclusion que celui-ci était un sophiste des temps modernes. Mais en prenant connaissance de l'argumentation du sénateur Joyal sur l'indivisibilité du Canada, j'en ai découvert un plus grand encore. Son argumentation cousue de fil blanc impressionna la galerie d'analphabètes constitutionnels. D'ailleurs, lors de son témoignage, le professeur Patrick Monahan riva son clou à Serge Joyal en lui rappelant qu'il n'était pas vraiment pour l'indivisibilité puisqu'il convenait qu'un référendum pancanadien pourrait approuver l'accession d'une province canadienne à la souveraineté.

Tant de choses pourraient être dites sur les travaux du Sénat et sur la tournure éminemment juridique qu'y prit le débat. Un débat qui fut intéressant pour le constitutionnaliste que je suis, qui partage le point de vue du sénateur Gérald

Beaudoin, selon lequel le projet de loi C-20 « blesse le fédéralisme ». Mais, un débat qui me sembla à bien des moments très loin des réalités politiques, car on ne chercha guère à explorer les motifs réels pour lesquels le gouvernement souhaitait voir son projet de Loi sur la clarté approuvé par le Sénat. Une nouvelle preuve que le Sénat du Canada est une institution naïve, voire superflue.

Le Sénat adopta le projet de Loi sur la clarté le 29 juin 2000 après des votes sur plusieurs amendements, les uns adoptés de façon serrée, les autres avec une majorité libérale confortable. Je n'étais pas surpris. Mais j'étais déçu de ne pas être présent à la Chambre des communes pour la sanction du projet de loi quelques minutes après les votes au Sénat. En cette occasion, j'aurais voulu crier mon indignation, comme je l'avais fait le 15 mars 2000.

En écrivant cet essai, j'apprends que les Québécois, de même que les Canadiens, n'étaient pas du tout favorables à la ligne dure à l'égard de Québec. C'est ce que révèle un sondage commandé par le gouvernement du Canada en 1997 et que le journaliste Jack Aubry a découvert un peu par hasard, à la bibliothèque du parlement du Canada. J'apprends aussi que Stéphane Dion a vanté, en s'appuyant sur Tocqueville, les vertus civiques du nationalisme lors d'une conférence pour l'étude des idées politiques, le 29 juillet dernier à Québec. Après avoir affirmé que nous « devions partager la méfiance de Tocqueville à l'égard de l'uniformité et miser plutôt sur la pluralité des expériences », il ajoutait :

> Il me semble que c'est ce que nous essayons de faire au Canada. Je ne sais pas si mon pays est vraiment celui où il fait le mieux vivre, mais tel est bien le meilleur objectif qu'un pays puisse se donner : être le pays où les valeurs de liberté, de prospérité, de partage et de tolérance sont les mieux respectées.

Sans doute aurait-il souhaité ajouter la valeur de la clarté à son énumération. Mais d'aucuns auraient pu formuler des objections à une telle inclusion, en invoquant cette loi-bâillon qui vient de recevoir sa place dans les *statute books* (le chapitre 6 des *Lois du Canada*, 2000) du pays canadien. Cette loi-bâillon dont Claude Ryan a dit qu'il s'agissait « d'un texte législatif rempli de méfiance envers la démocratie québécoise et dont la principale carence est que, tout en se réclamant de la clarté, il introduit plus de confusion que de clarté ».

CHAPITRE II

La dérive territoriale du plan B : partition et indivisibilité

En confiant les Affaires intergouvernementales à Stéphane Dion, le 25 janvier 1996, le premier ministre Chrétien savait qu'il trouvait en lui un disciple de Pierre Elliott Trudeau, de même qu'une personne qui adhérait au fameux principe énoncé par l'ancien premier ministre du Canada : « Si le Canada est divisible, le Québec l'est aussi. »

Selon ce principe, Stéphane Dion avait affirmé que, si le Québec optait pour la sécession, les Autochtones, les municipalités et autres entités auraient la possibilité de demeurer au sein du Canada. « Cette déclaration viendra-t-elle le hanter maintenant qu'il est à la tête du ministère des Affaires intergouvernementales ? » avait demandé la journaliste Huguette Young, de la *Presse Canadienne*, dans un article publié dans *La Presse* le samedi 27 janvier 1996. Et Stéphane Dion de répondre :

> Non, parce que je l'assume complètement. C'est une question de justice naturelle. Je ne peux pas me donner une loi et l'enlever aux autres. Je ne peux pas considérer le Canada comme divisible et le territoire québécois comme sacré.

Il n'est par conséquent pas surprenant que le plan B, dont il est l'architecte, puise certains arguments dans la notion de partition et comporte une dimension territoriale. Mais, contrairement à l'argument juridique qui étaye le plan B, argument qu'ont voulu renforcer les initiatives gouvernementales, qu'il s'agisse du renvoi à la Cour suprême ou du projet de loi sur la clarté, l'argument partitionniste est invoqué par des groupes soutenus implicitement par le gouvernement fédéral. Certains leaders d'opinion de la communauté anglophone du Québec, mais aussi des porte-parole de nations autochtones, sont ainsi devenus les plus chauds partisans de la partition du Québec et en font parfois leur cheval de bataille. Cependant, le gouvernement fédéral n'est pas aussi neutre qu'il le prétend sur cette question, comme en témoigne une Loi sur la clarté qui effleure suffisamment la question pour qu'il puisse être vu comme un allié des partitionnistes.

Pour comprendre la dérive territoriale du plan B, il n'est pas inutile de reculer dans le temps pour cerner les origines du débat sur la partition. À la lecture de l'ouvrage de Claude G. Charron, *La Partition du Québec : de Lord Durham à Stéphane Dion*, on pourrait croire que les velléités partitionnistes des uns et des autres se manifestent bien avant la naissance de la fédération canadienne. Dans son essai, l'auteur cherche à démontrer que l'idée de la partition a toujours été bien ancrée dans les mœurs des anglophones habitant le territoire québécois. Quoi qu'il en soit, pour mon propos, je me contenterai de reculer jusqu'en 1967, année du centenaire de la fédération, pour entendre les nouveaux chantres du fédéralisme canadien réintroduire le discours de la partition dans le débat sur l'avenir politique et constitutionnel du Québec.

Westmount, le « Danzig du Nouveau-Monde »

Dans son livre intitulé *Le Fédéralisme et la société canadienne-française*, Pierre Elliott Trudeau, alors ministre fédéral de la Justice, écrit :

> Quant aux séparatistes, ils auront aussi du pain sur la planche ; si leurs principes sont justes, ils devront les pousser jusqu'à l'annexion d'une partie de l'Ontario, du Nouveau-Brunswick, du Labrador, de la Nouvelle-Angleterre ; mais, par contre, ils devront lâcher certaines régions à la frontière de Pontiac et de Témiscamingue, et faire de Westmount le Danzig du Nouveau-Monde.

Ce propos du futur premier ministre du Canada ne soulève toutefois pas de débat politique d'importance dans l'immédiat. Mais il est symptomatique d'une vision très ethnique de ce qu'il est convenu d'appeler la « question nationale ». Dans cette perspective, la réalisation du projet de souveraineté implique le regroupement des francophones au sein d'un État, avec, en contrepartie, la remise à l'État canadien de territoires habités par des citoyens anglophones. Une telle vision, qui est en totale opposition avec le projet de souveraineté-association de René Lévesque, est destinée à diaboliser l'option souverainiste et à nuire à sa crédibilité.

Dans les premières années de son règne à la tête du Canada, le premier ministre Trudeau ne sent pas le besoin de recourir au discours de la partition pour retenir le Québec dans le Canada et contrer le mouvement souverainiste. Il fait plutôt appel à des concepts comme le bilinguisme et le multiculturalisme. Il adopte aussi des moyens plus ou moins subtils, comme la Loi sur les mesures de guerre ! Or, malgré cette panoplie de moyens, le premier ministre Trudeau est incapable de freiner la montée du Parti Québécois et d'empêcher sa première victoire électorale, le 15 novembre 1976.

Pour beaucoup de Canadiens, mais aussi pour des Québécois, notamment les anglophones, les résultats de ce scrutin du 15 novembre sont une véritable catastrophe et le réveil est brutal. L'accession du Québec à la souveraineté devient maintenant une chose possible et menace l'intégrité territoriale et même, pour certains, la survie du Canada.

Mais le nouveau premier ministre du Québec, René Lévesque, met d'abord à l'ordre du jour la question de la protection et de la promotion de la langue française au Québec et fait adopter, en 1977, la Charte de la langue française, connue sous le nom de loi 101. Les Québécois anglophones durcissent le ton et Trudeau croit utile d'intervenir pour calmer les esprits. Dans une entrevue au *Victoria Times* en novembre 1977, il dit craindre que le tollé anglophone n'éveille la ferveur souverainiste des Québécois. Toutefois, ni lui ni les anglophones du Québec ne prennent le virage partitionniste et ne font allusion à l'hypothèse de la partition dans les débats entourant la préparation du référendum sur la souveraineté-association.

La thèse partitionniste est développée de façon plus précise par William F. Shaw et Lionel Albert dans *Partition : The Price of Quebec's Independence*, qui paraît juste avant le référendum de 1980. Les auteurs concluent que les frontières du Québec ne devraient pas être délimitées sur une base géographique, mais selon des considérations ethniques ou linguistiques. Cet ouvrage contient l'ensemble des arguments qui sont encore invoqués aujourd'hui dans le débat sur la partition, le principal étant que le droit à l'autodétermination du peuple québécois et la possession du territoire québécois sont pour l'essentiel des mythes. D'après la thèse partitionniste, en effet, les trois quarts du territoire québécois n'appartiennent pas aux Canadiens français du Québec et ceux-ci ne sont d'ailleurs titulaires d'aucun droit à disposer d'eux-mêmes en vertu du droit international pour la simple raison qu'ils ne constituent pas une colonie du Canada ou un peuple opprimé. Si le Québec devenait un État souverain, il ne pourrait conserver, selon les deux auteurs, que la maigre bande de terre de la rive nord du fleuve Saint-Laurent, excluant une grande partie de l'île de Montréal.

Le rejet du projet de souveraineté au référendum de 1980 fait qu'il n'est plus nécessaire de remettre en question les frontières du Québec. Il n'y a pas encore de plan B à l'horizon, car les Québécois sont plutôt tentés par le renouvellement du fédéralisme canadien et orientent leurs efforts dans cette direction. Mais, au lendemain de l'échec de l'accord du lac Meech, en juin 1990, et après la déclaration du premier ministre Robert Bourassa selon laquelle « quoi qu'on dise et quoi qu'on fasse, le Québec est aujourd'hui et pour toujours une société distincte, libre et capable d'assumer son destin et son développement », le sentiment nationaliste au Québec connaît une flambée extraordinaire.

La montée du sentiment nationaliste s'accompagne d'une montée du mouvement partitionniste. Dans le cadre des travaux de la commission Bélanger-Campeau, plusieurs experts abordent les questions relatives au droit à l'autodétermination du Québec et à l'intégrité territoriale du Canada. Des groupes témoignent devant la commission et réclament le droit de demeurer au Canada. Dans son rapport, la commission Bélanger-Campeau n'approfondit pas cette question, mais, pour sa part, la Commission d'étude sur les questions afférentes à l'accession du Québec à la souveraineté fait du territoire un objet important de ses réflexions. D'ailleurs, elle sollicitera un avis collectif d'experts étrangers sur cette question et leurs conclusions deviendront une référence obligée dans le débat sur l'avenir du Québec.

L'opinion des cinq experts

Les cinq internationalistes sollicités, soit Thomas Franck, des États-Unis, Rosalyn Higgins et Malcom N. Shaw du Royaume-Uni, Christian Tomuschat de la République fédérale d'Allemagne et Alain Pellet de France, ce dernier assurant la coordination des travaux, présentent en 1991 un rapport intitulé *L'Intégrité territoriale du Québec dans l'hypothèse de l'accession à la souveraineté*. Ils sont unanimes à reconnaître que, tant que le Québec fait partie du Canada, l'intégrité de son territoire est garantie par le droit constitutionnel canadien. Les juristes sont également d'avis que l'accession du Québec à la souveraineté devrait donner lieu à l'application des principes du droit international et n'entraînerait pas de changements des frontières en vertu de l'application de la règle de l'*uti possidetis*.

En revanche, le peuple québécois ne saurait fonder une éventuelle revendication de souveraineté sur son droit à disposer de lui-même, mais il ne serait pas, pour autant, empêché d'y accéder par des motifs juridiques. Il s'agit là d'une question de fait que le droit international n'approuve ni ne désapprouve : il en prend tout simplement acte. De l'avis des cinq juristes, les droits étendus dont jouissent les peuples autochtones ne peuvent pas être considérés comme comportant un quelconque droit à la souveraineté. De plus, la protection offerte par le droit international à la minorité anglophone n'a aucun effet territorial. Pour ces experts, il ne fait aucun doute que « les Amérindiens et les Inuits du Canada constituent des peuples autochtones, quelle que soit la définition que l'on donne à cette notion ». Mais, précisent-ils, « il n'en résulte aucune reconnaissance d'un droit à la sécession de ces peuples ni de leur souveraineté territoriale ».

Bien que le rapport de ces cinq experts invalide l'argument partitionniste, celui-ci fait l'objet d'une bonne publicité en 1991. C'est à la une de son édition du 2 février que le quotidien anglo-montréalais affiche ses couleurs et prend position en faveur de la partition. Offrant à ses lecteurs une carte couleurs du Québec « partitionné » *The Gazette* est suivi quelque mois plus tard par le mensuel *Macleans* qui n'hésite pas à comparer la situation d'un Québec souverain à celle de la Yougoslavie. Mais, c'est le livre de William Johnson, *Anglophobie Made in Quebec*, qui, en 1991, vient alimenter le discours partitionniste. Selon lui, les Québécois francophones ont, à la suite du rapport Durham, bâti toute une mythologie irréaliste autour de la domination des

Anglais et de leur volonté d'assimiler les Canadiens français. William Johnson est d'avis que l'esprit « raciste » du chanoine Lionel Groulx est encore très présent dans le Québec francophone moderne et qu'une réaction des Anglo-Québécois à cette tendance sera de promouvoir la partition du Québec de façon à pouvoir demeurer au Canada.

En 1992 paraît le livre de Josée Legault, *L'Invention d'une minorité : les Anglo-Québécois*, que plusieurs ont vu comme une réponse directe à William Johnson. Selon sa thèse, la minorité anglophone du Québec est une invention qui remonte à peu près à l'adoption par le gouvernement Bourassa, en 1974, de la loi 22 qui proclame le français langue officielle du Québec. Avant cette date, la communauté anglophone faisait peu de cas de l'existence d'une communauté francophone au Québec et avait plutôt des visées assimilatrices envers elle. Josée Legault soutient que le discours sur les droits individuels tenu par les Anglo-Québécois camoufle la réclamation de droits collectifs. Ce discours fait souvent référence au droit que chaque individu possède au Québec de décider à quel pays il veut appartenir, alors qu'il s'agit en réalité pour la communauté anglophone du Québec de chercher à faire valoir son droit collectif de rester canadienne.

Nations autochtones et partition

Pendant que les commissions parlementaires sur l'avenir du Québec commandent des études à des experts internationaux et rédigent leurs rapports et que les leaders d'opinion et les observateurs politiques se crêpent le chignon au sujet de la partition, les nations autochtones ne restent pas muettes. Elles prennent part au débat de façon très active au lendemain de la crise d'Oka à l'été 1990. Toutefois, les vues des nations autochtones ne sont pas nécessairement unanimes sur ces questions.

Le Grand Conseil des Cris du Québec publie deux études très fouillées où est abordée la question de la partition du territoire québécois. La première, *Status and Rights of the James Bay Crees in the Context of Quebec's Secession from Canada* est publiée en 1992, tandis que *Sovereign Injustice : Forcible Inclusion of the James Bay Crees and Cree Territory Into a Sovereign Québec* paraît en 1995. Ces deux analyses sont le fruit de vastes recherches sur les questions de l'autodétermination, du droit à la sécession et des droits autochtones au sein du Canada et du Québec.

Le premier argument apporté veut que les nations autochtones bénéficient du même droit à l'autodétermination que les Québécois et que, moralement, leurs demandes sont peut-être encore plus légitimes étant donné que le Québec dispose déjà d'une bonne autonomie au sein du Canada. Pour le Grand Conseil des Cris, la thèse des deux peuples fondateurs est fallacieuse puisque les Autochtones sont aussi des peuples fondateurs. Pour cette raison, ils disposent du droit de décider de leur avenir et de ne pas faire partie, si tel est leur désir, d'un Québec souverain. Un argument analogue est défendu par Mary Ellen Turpel. Citée par Claude G. Charron, elle soutient dans sa contribution à l'ouvrage collectif *Negociating With a Sovereign Québec* que les 10 nations autochtones pourraient revendiquer le droit de se détacher du Québec. « Il semble clair que, pour ce qui est du droit à l'autodétermination, le peuple canadien-français doit rivaliser avec les peuples autochtones. En outre, le droit à l'autodétermination n'est pas un droit de la province de Québec. En droit international, les provinces n'ont pas le droit à l'autodétermination, les peuples l'ont. » Elle prétend par ailleurs qu'un État québécois indépendant n'obtiendrait pas la reconnaissance internationale si les peuples autochtones n'étaient pas traités comme des peuples jouissant de tous les droits humains, y compris le droit à l'autodétermination ».

Contrairement à la nation crie, la nation huronne-wendat n'adhère pas à la thèse partitionniste. Son Conseil ne plaide cependant pas en faveur de l'intégrité territoriale du Québec; il demande plutôt au mouvement souverainiste une plus grande compréhension de la cause autochtone au Québec. Si un Québec souverain veut faire avancer la reconnaissance des droits autochtones et accorder plus d'autonomie à ces nations, les membres du Conseil ne s'opposeront pas à l'accession du Québec à la souveraineté dans ses frontières actuelles. Leur message peut se résumer ainsi : un Québec souverain qui chercherait à se définir dans la compréhension du fait que les peuples autochtones forment des nations au même titre que les Québécois et avec les mêmes droits serait bénéfique pour tous. Les Hurons-Wendat, par le biais de leur représentant Max Gros-Louis, reconnaissent le droit à l'autodétermination du peuple québécois dans la mesure où ce dernier reconnaît ce droit aux nations autochtones.

Pendant cette période de bouillonnement, un intellectuel autochtone, Bernard Cleary, apporte une contribution fort intéressante au débat sur les relations d'un Québec souverain avec les nations autochtones habitant son territoire. Bernard Cleary prône aussi une compréhension mutuelle entre souverainistes et Autochtones dans une série d'articles qu'il fait paraître en 1990 et 1991 dans le quotidien *La Presse*. À ses yeux, les Autochtones auraient avantage à participer pleinement et activement à la redéfinition du contrat social de ce pays à rebâtir plutôt que de provoquer une fracture sociale entre eux et les Québécois. Il fait le pari que la constitution d'un Québec indépendant « favorisera le droit à l'autodétermination des nations autochtones, donc exister en tant que nations distinctes, sans, cependant, porter atteinte à l'intégrité du territoire québécois ».

Claude G. Charron souligne qu'en 1994 la question autochtone occupera le centre du discours partionniste. C'est le ministre des Affaires indiennes et du Nord, Ron Irwin, qui met le feu aux poudres en affirmant que les Autochtones du Québec pourraient choisir de rester canadiens après la souveraineté du Québec. Les leaders autochtones profiteront de la vague d'intérêt suscitée par le ministre pour porter sur la scène internationale leurs revendications. C'est avec des accusations de racisme et d'ethnicisme que Matthew Coon-Come alimente le débat qui tourne de plus en plus à l'affrontement verbal plutôt qu'à la compréhension mutuelle souhaitée par Bernard Cleary.

Bien que l'idée de la partition gagne en popularité et semble trouver plus d'adeptes que durant la période de 1976 à 1980, on remarque que le discours en ce sens est moins vif à l'approche du deuxième référendum sur la souveraineté. Sans doute certains redoutent-ils qu'un débat sur la partition pendant la campagne référendaire ranime la ferveur souverainiste. Les Anglo-Québécois semblent alors s'investir dans le camp du Non, tandis que certaines nations autochtones organisent leurs propres référendums et laissent entendre qu'ils pourraient exiger de demeurer au Canada si les consultations qu'ils mènent démontrent une telle volonté.

La partition selon Manning et Lalonde

Au lendemain de la courte victoire du camp du Non, le 30 octobre 1995, le chef du Parti de la Réforme, Preston Manning, déclare au *Globe and Mail* que les frontières du Québec devraient être remises en question, par la force si nécessaire, si le Québec décidait d'opter pour la souveraineté.

Le journal *The Gazette* applaudit la déclaration du chef réformiste. Quatre jours plus tard, il prend ouvertement position en faveur de la partition en titrant à la une « *Should Montreal split from Quebec ?* », une idée que reprendra quelques mois plus tard une personne qu'on s'étonne d'entendre entonner le refrain partitionniste ; il s'agit de l'ancien ministre des Finances du Canada, Marc Lalonde. Celui-ci propose de soustraire l'île de Montréal du Québec souverain et d'en faire la nouvelle « province de Maisonneuve ». Cette province, dit-il, serait non seulement viable, mais rendrait la ville de

Montréal prospère et florissante, car elle serait débarrassée de l'incertitude économique engendrée par la « menace » séparatiste et libérée des contraintes linguistiques qu'ont imposées les souverainistes.

The Gazette et ses lecteurs auront bientôt une autre raison de se réjouir lorsque le gouvernement fédéral se trouvera en Stéphane Dion un porte-parole qui donnera à l'idée de partition une nouvelle crédibilité ou, à tout le moins, créera l'illusion que le gouvernement du Canada adhère à l'idée de la partition du Québec.

Du *delirium territorialis*

J'ai toujours été contre la partition. Une mission d'observation internationale en Irlande du Nord, au cours de laquelle j'ai pu constater, tant à Portadown que sur Garvaghy Road, à Belfast, les conséquences de la partition, m'a convaincu que ce n'était pas une bonne idée, et que ceux qui en font la promotion sont des artilleurs irresponsables. Comme Stéphane Dion. Le premier ministre Bouchard a d'ailleurs eu un mot plus évocateur encore en qualifiant Stéphane Dion de « boutefeu », un vieux terme français qui désigne un bâton terminé d'une mèche et servant à mettre le feu à la charge d'un canon. Chapleau a immortalisé cette image dans l'une de ses caricatures les plus inoubliables. Lucien Bouchard ajoutera que « depuis le début, cet homme a tenté d'attiser la division. Il a lancé le débat sur la partition du Québec qui soulève des émotions très dangereuses ».

En effet, le jour même de son assermentation, le ministre Dion n'a-t-il pas déclaré qu'il ne peut pas ne « pas considérer le Canada comme divisible et le territoire québécois comme sacré » ? Les prises de position du nouveau ministre fédéral lui valent les foudres de Lucien Bouchard pour qui il est inadmissible qu'un ministre dont le travail consiste à réunir le Québec et le Canada profite de sa première déclaration pour les séparer. « Les Québécois forment un peuple, une nation, ils ont le droit fondamental de garder et de protéger leur territoire », avait alors affirmé M. Bouchard. Pour sa part, le chef de l'opposition à l'Assemblée nationale du Québec, Daniel Johnson, déclare que le territoire québécois est indivisible et que ses frontières ne doivent pas bouger après son accession à la souveraineté.

Mais Stéphane Dion n'est pas le seul à souffrir de *delirium territorialis*. Son patron Jean Chrétien ajoute sa voix à celle de son nouveau ministre à Vancouver en rappelant la vieille maxime de Trudeau. « En toute logique, si le Québec a le droit de se séparer, probablement que les gens du Québec devraient avoir le droit de s'en séparer aussi. » Il ajoute : « Si le Canada est divisible, le Québec l'est aussi. C'est la même logique. Parce qu'au Québec, il y a toutes sortes de gens, pas seulement des francophones. Il y a des anglophones. Il y a les Autochtones au nord, qui étaient là avant que les Français et les Anglais arrivent. La logique de la sécession est la même pour tout le monde. »

Avant le ministre Dion et le premier ministre, aucun ténor fédéral, écrit la journaliste de *La Presse*, Chantal Hébert, le 30 janvier 1996, n'avait accrédité ouvertement la thèse de la partition du Québec. Dans sa chronique du journal *Le Devoir* du 31 janvier 1996, Josée Legault tient des propos particulièrement acerbes envers Stéphane Dion, son plan B et ses déclarations sans retenue à propos du droit à la partition. Dans *Les Canadiens français*, elle écrit : « Les partitionnistes anglophones se sont adjoint des alliés d'une efficacité éprouvée. Depuis la nomination de Stéphane Dion, les politiciens fédéralistes francophones se bousculent pour appuyer cette vieille thèse anglo-montréalaise. [...] On se prosterne devant la fameuse maxime de Pierre Trudeau : si le Canada est divisible, le Québec l'est aussi. En apparence, le mot est d'une logique inattaquable. Sur le fond, c'est une dénégation de la démocratie québécoise et de sa qualité de nation, de même qu'un appel à la désobéissance civile. En tant que stratégie politique, c'est une tentative pathétiquement transparente d'exploiter la colère et le désarroi des Anglo-Québécois face à une victoire de l'option souverainiste. »

My town is Canadian

Un peu comme s'ils anticipaient la victoire des souverainistes à un éventuel troisième référendum, des groupes de citoyens cherchent à faire adopter par leurs conseils municipaux des résolutions garantissant leur maintien dans le giron canadien. Guy Bertrand, Howard Galganov et William Johnson sont d'ailleurs là pour les encourager et les soutenir moralement et intellectuellement.

C'est ainsi qu'en juillet 1997 quelque 500 partitionnistes envahissent la salle du conseil municipal de Lasalle pour forcer leurs élus à adopter une résolution réclamant que le gouvernement fédéral protège le droit des citoyens de cette ville de demeurer au sein du Canada. Le maire et ses conseillers résistent et adoptent une motion réaffirmant la tradition de non-ingérence de la municipalité dans les choix politiques individuels. Mais les leaders du Comité québécois pour le Canada, après avoir harcelé les membres du Conseil, reviennent à la charge le mois suivant et réussissent à les faire céder. La résolution est finalement adoptée.

Dans certaines municipalités, toutefois, des anti-partitionnistes font la vie dure aux disciples de Galganov et Johnson. À Lachine, par exemple, les supporters d'Howard Galganov croisent le fer avec les militants du Mouvement de libération nationale du Québec dirigé par Raymond Villeneuve, un ancien membre du FLQ. Il y a quelques empoignades et échauffourées. Dion a semé le vent, il récolte la tempête !

Mais les dégâts de la tempête restent circonscrits. Seules une quarantaine de municipalités emboîtent le bas et adoptent une résolution partitionniste. L'une d'entre elles, Elgin, est d'ailleurs située dans ma circonscription de Beauharnois-Salaberry, à proximité de Huntingdon et sur la frontière canado-américaine. La municipalité d'Elgin, qui compte 400 habitants, adopte en juin 1997 une résolution dont le libellé est le suivant :

> ATTENDU QUE le référendum de 1995 sur la place du Québec à l'intérieur du Canada, de même que celui tenu en 1980, ont confirmé que la grande majorité des citoyens d'Elgin désiraient demeurer canadiens et que le Québec continue de demeurer une composante active et loyale d'un Canada uni ;
>
> ATTENDU QUE les citoyens ont de façon constante exprimé ces valeurs par leur attachement profond envers un Canada uni, à l'intérieur duquel le Québec continue de jouer un rôle dynamique ;
>
> ATTENDU QUE les citoyens d'Elgin forment un exemple vibrant de la présence et du dynamisme du Québec dans le Canada ;
>
> ATTENDU QUE le conseil de la municipalité d'Elgin croit que la volonté de ses citoyens de demeurer partie d'un Canada uni doit être respectée par les gouvernements du Canada et du Québec ;
>
> PAR CONSÉQUENT ;
>
> Il est proposé par Philippe Leduc ;
>
> Appuyé par William Macfarlane et résolu unanimement ;
>
> QUE ce conseil affirme son attachement envers un Canada uni, incluant le Québec comme une de ses composantes vitales ;
>
> QUE ce conseil demande au gouvernement du Canada de prendre les mesures nécessaires afin de protéger les droits constitutionnels de nos citoyens pour qu'ils puissent demeurer canadiens ;
>
> QUE, si le gouvernement du Québec décidait de tenir un autre référendum ou de proclamer la sécession unilatérale du Qué-

bec, nous entendons demeurer des citoyens canadiens avec tous nos droits et nous demandons que le gouvernement du Canada, ainsi que le leadership politique à tous les niveaux, prenne les moyens constitutionnels, légaux et politiques pour protéger et défendre notre présence continue au Canada ;

QUE, en tant que Canadiens et Québécois loyaux, nous n'épargnerons aucun effort et nous ferons tout ce qui est possible en notre pouvoir pour éviter le bouleversement, la division et le coût injustifié d'un autre référendum ;

QUE le conseil demande au gouvernement du Québec de prendre tous les moyens constitutionnels, légaux et politiques pour protéger nos droits en tant que citoyens canadiens ainsi que notre présence continue à l'intérieur d'un Canada uni.

QUE nous prions le gouvernement du Canada et lui demandons que la volonté de nos citoyens de continuer à faire partie d'un Canada uni et fort soit respectée conformément aux obligations constitutionnelles de notre pays.

La résolution adoptée par la municipalité d'Elgin ainsi que celles des autres municipalités de la région de Montréal, de l'Outaouais et des Cantons-de-l'Est se retrouvent bientôt dans les dossiers des juges de la Cour suprême, car Me Guy Bertrand obtient l'autorisation de les y déposer dans le cadre du Renvoi sur la sécession. L'avocat partitionniste crie victoire ; il ne sait pas que sous peu il ressentira une grande déception, car la Cour suprême n'en tiendra pas compte.

Frank McKenna, l'ami des partitionnistes

C'est à l'occasion de la conférence annuelle des premiers ministres provinciaux de l'été 1997 que le premier ministre Frank McKenna du Nouveau-Brunswick entre dans le bal partitionniste et fait réagir Lucien Bouchard. M. Bouchard n'apprécie guère l'intervention de son homologue qui appuie, dans une lettre du 23 juillet 1997, la campagne des partitionnistes auprès des conseils municipaux du Québec en leur demandant d'adopter une résolution en faveur de l'unité canadienne et exprimant leur volonté de rester canadiens.

Une guerre épistolaire vitriolique alimente la chronique politique de cet été-là. Lucien Bouchard est prompt à réagir aux propos de son collègue du Nouveau-Brunswick et réaffirme dans la lettre du 6 août 1997, à la veille de l'ouverture de la conférence annuelle des premiers ministres, les principes qui guident depuis longtemps la démarche du peuple québécois vers la souveraineté. M. Bouchard affirme que l'intervention du premier ministre néo-brunswickois «vient appuyer une position fondamentalement antidémocratique [...], favorable à l'un des aspects les plus répréhensibles du plan B, [et que cette intervention lui] apparaît pour le moins inconvenante». Il met en évidence certains aspects du consensus québécois au sujet de l'intégrité territoriale, en faisant remarquer à Frank McKenna que ce consensus dépasse largement le clivage entre souverainistes et fédéralistes.

Le ministre Dion ajoute son grain de sel le 4 août 1997 et vient à la rescousse du premier ministre du Nouveau-Brunswick. Stéphane Dion commente pêle-mêle différents aspects de la démarche souverainiste allant de la majorité requise à la déclaration unilatérale d'indépendance en passant par la partition. Sur cette dernière question, il conclut que «ni vous, ni moi, ni personne ne peuvent prédire que les frontières d'un Québec indépendant seraient celles qui sont aujourd'hui garanties par la Constitution canadienne».

C'est au vice-premier ministre Bernard Landry que revient la tâche de répondre au ministre-professeur au nom du gouvernement du Québec. Mettant en évidence la dérive antidémocratique du gouvernement fédéral, Bernard Landry rappelle, dans une lettre datée du 12 août 1997, que «les partis politiques québécois sont unanimes à réprouver les militants partitionnistes et que des études commandées par [les] services du Conseil privé [...] démontraient d'ailleurs que le Canada n'avait aucun argument légal pour mettre en cause l'intégrité territoriale d'un Québec souverain». Et il ajoute: «Vous avez pris la décision de prêter votre caution politique et morale aux militants partitionnistes en maintenant sur cette question un flou artistique qui les sert et ne vous honore pas.»

Le ministre canadien des Affaires intergouvernementales voudra poursuivre la correspondance et écrira de nouveau au vice-premier ministre du Québec les 26 et 28 août 1997. Mais Bernard Landry mettra fin à ce va-et-vient d'arguments en déclarant devant les journalistes qu'il ne répondrait plus parce qu'il avait d'autres choses à faire que d'écrire à Stéphane Dion.

C'est plus tard, à l'automne, que le ministre Jacques Brassard répondra indirectement, au nom du gouvernement, à la fois au ministre Dion et au premier ministre McKenna en rendant public une déclaration ministérielle sur l'intégrité territoriale. Stéphane Dion, mécontent que sa réplique à Bernard Landry soit restée lettre morte quelques mois plus tôt, se cherche alors un interlocuteur et reprend la plume. Le ministre Dion réaffirme haut et fort la possibilité d'une redéfinition des frontières du Québec après un référendum gagnant. Le ministre Brassard choisit de ne pas répondre au ministre Dion, mais constate tout de même que M. Dion « se présente comme le chef des partitionnistes ».

La fermeté des propos et des arguments mis de l'avant par le gouvernement du Québec au cours de cet épisode, notamment avec la déclaration ministérielle, a comme conséquence directe un rejet de la partition par les Québécois. Les résultats des sondages qui scrutent l'opinion à l'automne 1997 au sujet de la partition sont on ne peut plus clairs à cet égard.

L'avis de la Cour suprême, le projet de loi C-20 et la partition

Si la Cour suprême réserve aux observateurs une surprise de taille le 20 août 1998 en affirmant l'existence d'une obligation de négocier la sécession du Québec, elle déconcerte aussi les partisans du dépeçage du territoire québécois. La Cour n'accrédite nulle part dans son avis l'idée de la partition et ne laisse nullement entendre que les municipalités ou les nations autochtones pourront se détacher du Québec si celui-ci décide d'accéder démocratiquement à la souveraineté.

La Cour ne parle pas de partition. Elle traite de façon très prudente la question des frontières et n'y fait allusion qu'à deux reprises dans son avis. Dans un premier passage (paragraphe 96), la Cour note :

> La question des frontières territoriales a été invoquée devant nous. Des minorités linguistiques et culturelles, dont les peuples autochtones, réparties de façon inégale dans l'ensemble du pays, comptent sur la Constitution du Canada pour protéger leurs droits. Bien sûr, la sécession donnerait naissance à une multitude de questions très difficiles et très complexes, qu'il faudrait résoudre dans le cadre général de la primauté du droit de façon à assurer aux Canadiens résidant au Québec et ailleurs une certaine stabilité pendant ce qui serait probablement une période d'incertitude et de bouleversement profonds. Nul ne peut sérieusement soutenir que notre existence nationale, si étroitement tissée sous tant d'aspects, pourrait être déchirée sans efforts selon les frontières provinciales actuelles du Québec.

Dans un second passage (paragraphe 139), la Cour aborde la question des frontières par rapport aux peuples autochtones :

> Nous ne voulons pas clore cet aspect de notre réponse à la question 2 sans reconnaître l'importance des arguments qui

> nous ont été présentés relativement aux droits et inquiétudes des peuples autochtones et aux moyens appropriés de délimiter les frontières du Québec, en cas de sécession, particulièrement en ce qui concerne les territoires nordiques occupés principalement par des peuples autochtones. Toutefois, les inquiétudes des peuples autochtones découlent du droit invoqué par le Québec de faire sécession unilatéralement. À la lumière de notre conclusion qu'aucun droit de ce genre ne s'applique à la population du Québec, ni en vertu du droit international ni en vertu de la Constitution du Canada, et que, au contraire, l'expression claire d'une volonté démocratique en faveur de la sécession entraînerait, en vertu de la Constitution, des négociations au cours desquelles les intérêts des Autochtones seraient pris en compte, il devient inutile d'examiner davantage les préoccupations des peuples autochtones dans le présent renvoi.

La déception est donc grande pour ceux qui auraient souhaité que la Cour suprême entérine la thèse partitionniste et consacre notamment le droit des nations autochtones de se détacher du Québec dans l'hypothèse de son accession à la souveraineté. Si la Cour rappelle l'importance de tenir en compte des intérêts des Autochtones, elle n'affirme en revanche rien qui puisse faire crier victoire aux partitionnistes.

En voulant donner une suite législative au jugement de la Cour suprême, le gouvernement fait lui aussi preuve de prudence. Il ne fait pas explicitement référence à la partition et ne soulève la question de la modification des frontières qu'au dernier article du projet de loi C-20. En vertu de cet article, les négociations des conditions de sécession pourront porter sur « toute modification des frontières de la province [et sur] les droits, intérêts et revendications territoriales des peuples autochtones »... Cette mention des frontières n'est-elle pas une façon de rappeler aux Québécois que leur territoire pourrait ne pas avoir les mêmes dimensions s'ils choisissaient de se donner un pays ?

C'est précisément sur cette menace que mise le plan B de Stéphane Dion. Le ministre joue la carte de l'insécurité et de la peur, pendant que le Conseil privé, le Bureau d'information du Canada et le ministère du Patrimoine dilapident des millions de dollars pris dans les poches des contribuables pour vendre l'idée que le Canada est le « meilleur pays du monde ».

CHAPITRE III

La portée identitaire du plan B : propagande et visibilité

La portée identitaire du plan B se trouve en quelque sorte résumée dans le propos suivant de Pierre Elliott Trudeau tiré de son ouvrage *Le Fédéralisme et la société canadienne-française* :

> Un des moyens de contrebalancer l'attrait du séparatisme, c'est d'employer un temps, une énergie et des sommes énormes au service du nationalisme fédéral. Il s'agit de créer de la réalité nationale une image si attrayante qu'elle rende celle du groupe séparatiste peu intéressante par comparaison.

C'est cette façon de voir la politique canadienne qui, poussée à l'extrême, a mené à l'adoption d'une ligne dure à l'endroit du Québec afin de lui imposer le Canada. Le Canada de gré ou de force ! Ces deux phrases ne sont pourtant pas extraites d'un discours de l'architecte du plan B, le ministre Stéphane Dion, mais ont pour auteur Pierre Elliott Trudeau. Qui, de surcroît, les a écrites en 1965 ! Après avoir inspiré les tenants de la partition, voilà que l'ancien premier ministre peut aussi se targuer d'inspirer les grands manitous de la propagande et de la visibilité canadiennes.

Ces propos de Trudeau résument assez bien l'ensemble de la carrière de ce premier ministre, mais peut-être mieux encore la carrière de ceux qui, au Parti libéral, se réclament de son héritage. Trudeau ne croyait pas si bien dire en préconisant des mesures pour juguler la montée en popularité des souverainistes au Québec et imposer aux Québécois dans leur ensemble une certaine vision du Canada. Cette pensée de Trudeau ne sous-tend-elle pas l'affirmation, répétée à satiété, que le Canada est le « meilleur pays du monde » ?

Avec l'arrivée de Trudeau aux commandes du gouvernement en 1968, le Canada prend un virage majeur. Non seulement met-il fin à tout espoir du Québec d'accroître véritablement son autonomie au sein du Canada, mais il se lance dans l'ingénierie identitaire. Pierre Elliott Trudeau est celui des premiers ministres canadiens qui a le plus valorisé les symboles canadiens qu'on tente, 25 ans plus tard, avec le plan B, d'imposer aux Québécois.

Ici *Ô Canada, exit God Save the Queen* !

Au drapeau canadien que l'on cherche à utiliser, depuis son adoption dans les années soixante, pour forger de toutes pièces une identité proprement canadienne et « pour aller de l'avant comme une nation unie, puissante et progressiste », l'on ajoutera un hymne national. Le remplacement du *God Save the Queen* par le *Ô Canada* ne se fait pas sans heurts. Plusieurs résistent à l'idée de se défaire d'un autre symbole britannique. Une première demande est adressée au gouvernement libéral Mackenzie King, en 1942, visant à doter le Canada d'un hymne national officiel. Le premier ministre, comme son successeur, refuse d'ouvrir un débat et il faut attendre 1964 pour qu'un comité mixte de la Chambre des communes et du Sénat se penche sur la question. Il faut encore attendre 1980 pour que l'*Ô Canada* soit officiellement reconnu comme hymne national. De 1949 à 1980, pas moins de 14 projets de loi différents (la quasi-totalité durant l'ère Trudeau) auront été nécessaires pour régler la question.

Dans la même optique, des sommes considérables sont dépensées pour le centenaire de la Confédération, en 1967. L'Exposition universelle de Montréal, des défilés nombreux et des fêtes populaires célèbrent la mémoire des Pères de la Confédération canadienne et rappellent l'accomplissement collectif des Canadiens et la fierté d'être Canadien.

Du déploiement des symboles canadiens jusqu'à l'orchestration d'une véritable campagne de propagande qui les banalise, voire les dénature, il ne s'écoule qu'une trentaine d'années. Si, pour enjôler les Québécois, le gouvernement du Canada emploie d'abord la méthode douce, il en va tout autrement dans les années quatre-vingt-dix, alors qu'on assiste à un durcissement de sa position, particulièrement à la suite de l'élection du Bloc Québécois comme opposition officielle en 1993. Il n'est dès lors plus question de séduire les Québécois, mais bien de leur imposer le Canada et l'identité canadienne. Pour ce faire, le gouvernement Chrétien met en place, en juillet 1996, son principal instrument de propagande, le Bureau d'information du Canada (BIC), au coût de 20 millions de dollars par année.

La faillite du rêve de Trudeau est aujourd'hui, avec la mise en œuvre du plan B, plus que manifeste. Lui qui affirmait, au début de sa carrière politique, que « le fédéralisme [était] destiné à échouer si le nationalisme qu'il encourage n'arrive pas à créer de la nation une image incomparablement plus attrayante que celles des régions elles-mêmes » doit se rendre à l'évidence : les symboles de l'unité canadienne ont échoué à faire naître, selon ses désirs et ses vues, le sentiment d'appartenance au Canada, à faire émerger une fierté et une identité canadiennes qui rallieraient les anglophones tout autant que les francophones.

Propagande et fuite en avant

C'est surtout après le référendum de 1995 et la quasi-victoire du camp du Oui que le gouvernement fédéral profite de chaque occasion pour réaffirmer l'identité canadienne et l'unité nationale et rappeler la grandeur du Canada. Les moyens de propagande qu'il se donne sont peu à peu perfectionnés et ses activités sont mieux coordonnées et mieux organisées. On entre alors dans une véritable période de galvaudage des symboles canadiens.

La coordination de l'opération propagande est confiée au ministre des Travaux publics et responsable des services gouvernementaux, Alfonso Gagliano. Celui-ci a la haute main sur les dépenses publicitaires de tous les ministères et organismes du gouvernement fédéral et dispose des moyens nécessaires pour promouvoir et médiatiser largement les actions gouvernementales. Il peut en outre compter sur le BIC, dont la mission comporte trois volets : fournir de l'information aux citoyens sur leur pays et leurs concitoyens, sur le renouvellement du fédéralisme et sur les services offerts par le gouvernement canadien ; coordonner l'ensemble des activités de « communication », pour employer un euphémisme, du gouvernement fédéral et assurer sa visibilité ; favoriser l'édification d'un Canada plus fort.

Or, le hasard faisant bien les choses, le BIC est, depuis 1998, sous l'autorité d'Alfonso Gagliano, qui agit aussi en tant que responsable politique pour le Québec au sein du cabinet fédéral. Il est par conséquent en excellente position pour coordonner les actions gouvernementales avec les activités à caractère plus partisan du Parti libéral du Canada.

Bref, depuis l'électrochoc du référendum de 1995, le gouvernement fédéral avance résolument sur ce terrain. La propagande est désormais au cœur de toutes ses activités et intervient sur tous les fronts. N'est-il pas essentiel de consolider l'identité canadienne et « l'unité nationale » menacées par des Québécois en mal de pays ?

Attractions Canada ou la séduction d'Elvis

Pour soutenir son entreprise de propagande, et dans l'intention de donner la plus grande visibilité possible au mot « Canada », le gouvernement fédéral a lancé, en 1999, le programme Attractions Canada, qui, on ne s'en étonnera pas, relève du ministre Gagliano. Ce programme fait appel à la participation du secteur privé et distribue au Québec une véritable manne céleste. En effet, les subventions pleuvent sur le Québec qui récolte pas moins de 60 % des sommes octroyées dans le cadre de ce programme. Le mot « Canada » devient ainsi un objet publicitaire qui se déploie sur les chandails des joueurs de la Ligue canadienne de football (en échange de subventions), sur les patinoires des ligues de hockey professionnel (en échange de subventions), sur les clôtures des stades de baseball (en échange de subventions), sur les manèges des parcs d'attractions (en échange de subventions), etc. Le cinéaste Pierre Falardeau ne manquera de souligner le ridicule de la chose en conclusion de son deuxième film mettant en scène son désopilant personnage Elvis Gratton.

À ce programme s'ajoute la ligne 1-800 Ô-Canada, dont on doit la mise en place au ministre Gagliano. Grâce à cette ligne, les Canadiens peuvent maintenant s'informer des services offerts par leur gouvernement en composant le nom même de leur pays sur le clavier de leur téléphone. Je me rassure en constatant qu'il n'y a pas de lettre Q sur le clavier du téléphone ; le gouvernement du Québec souverain ne pourra galvauder de la sorte le nom du pays ! En créant ce service, le ministre Gagliano mettait fin, pour des raisons de visibilité du gouvernement fédéral, à une entente vieille d'une quinzaine d'années qui permettait l'existence d'un guichet unique d'information sur les services gouvernementaux. Pour certaines régions du Québec, cette obsession de visibilité signifiera la fermeture de postes, la perte d'emplois et le retour de la sempiternelle réponse : vous ne vous adressez pas au bon gouvernement pour ce service… Le coût de cette opération visibilité ? 1,2 million de dollars.

Copps, Scully & Co.

Constitué en 1996 pour harmoniser et consolider les politiques et les programmes nationaux destinés à promouvoir l'identité canadienne, le ministère du Patrimoine canadien manifeste un grand souci de visibilité à propos duquel il y aurait beaucoup à dire. Trop peut-être ! Sheila Copps, à la tête de ce ministère depuis sa création, a fait couler beaucoup d'encre et a inspiré de nombreuses caricatures. C'est que la ministre Copps ne se cache nullement pour dire et redire, sur tous les tons, pourquoi on doit tirer fierté de notre appartenance à ce beau et grand et meilleur pays qu'est le Canada. Toutes les occasions lui sont bonnes pour rappeler aux Canadiens ce qui fait de leur pays le « meilleur pays du monde ». Mais, à regarder de plus près les activités de ce ministère, on constate que Mme Copps s'adresse beaucoup plus souvent aux Québécois qu'aux Canadiens dans leur ensemble. Jamais dans aucun autre domaine que celui de la propagande, le Québec n'aura été plus choyé par Ottawa.

Le plan stratégique du ministère indique clairement que la promotion de l'unité nationale et de l'identité canadienne est l'objectif visé par le ministère et les sociétés d'État qui en dépendent, dont Radio-Canada. D'ailleurs, dans son propre plan stratégique, la Société Radio-Canada affirme poursuivre les objectifs du ministère du Patrimoine.

Dès les premiers mois qui suivent le référendum, la très canadienne Copps, déjà responsable du portefeuille du Patrimoine, ne recule devant rien pour faire la promotion de son identité menacée. Elle n'hésite pas à inciter par lettre les groupes communautaires qui reçoivent une subvention à hisser le drapeau canadien afin de « susciter parmi la population canadienne une appréciation de notre pays et de notre citoyenneté qui nous confère des privilèges enviés à l'échelle internationale ».

Au cours de l'exercice financier 1995-1996, Sheila Copps dépense plus d'un million de dollars en publicité afin de souligner le 30e anniversaire du drapeau canadien. La moitié de cette somme sera dépensée au Québec... L'année suivante, 15 millions sont investis dans l'opération « 1 million de drapeaux » distribués gratuitement aux Canadiens. Une campagne publicitaire pour célébrer la citoyenneté canadienne coûte un demi-million, dont la moitié, encore une fois, est attribuée au Québec. Plus de 100 000 $ sont versés en subventions aux Jeux du Québec afin que l'unifolié soit bien en vue sur les chandails des jeunes athlètes. Encore un traitement privilégié pour le Québec ! On n'en demandait pas tant !

Le déséquilibre « en faveur » du Québec dans l'attribution des fonds fédéraux destinés à la promotion de la grandeur canadienne est particulièrement manifeste en ce qui touche à l'organisation de la fête du Canada. En 1997-1998, 3,4 millions sont versés à différents organismes, dont 2 millions à des organismes œuvrant au Québec. En 1999, sur un budget total de 4,7 millions consacré à l'organisation de la fête de la Confédération, 3 millions vont au Québec, une somme qui grimpe à 5 millions pour la fête du 1er juillet 2000, soit environ les trois quarts du budget total. Propagande oblige !

On peut ajouter à la liste des activités de visibilité l'orgie de drapeaux canadiens aux Jeux olympiques de Nagano. Encore là, l'objectif politique est de montrer la grandeur du Canada, comme si la grandeur d'un pays se mesurait au nombre de drapeaux au mètre carré. Un citoyen de ma circonscription, Jean-Luc Brassard, médaillé olympique, aura le courage de dénoncer ces excès.

Certes, le grand déploiement de drapeaux canadiens constitue l'aspect le plus visible, si je peux dire, de l'opération visibilité que mène le ministère du Patrimoine, qui sait se montrer très astucieux quand il s'agit de mettre en valeur le Canada. En effet, comme on l'apprenait récemment, la ministre Copps finançait, très, très discrètement, les productions du journaliste Robert Guy Scully diffusées sur les ondes de la Société Radio-Canada, qui relève, faut-il le rappeler, de son ministère. Sous le couvert d'une fonction essentiellement informative, les émissions *Les Minutes du Patrimoine* et *Le Canada du Millénaire* s'harmonisaient parfaitement avec les objectifs du ministère du Patrimoine et de la télévision d'État. Cependant, face au tollé provoqué par cette nouvelle, Radio-Canada a décidé de retirer de l'antenne les émissions de Scully ; un journaliste subventionné par la ministre responsable de la télévision, c'en était trop pour la supposée indépendance de la société d'État.

La visibilité de la feuille d'érable sera à surveiller lors de la diffusion de la série radio-canadienne sur l'histoire canadienne. Déjà, au moment où j'écris ces lignes, les publicités pour cette mégasérie de 25 millions, dont 33 % est financé par le réseau français, tournent à plein régime. On ne manque pas de nous faire savoir que ce « pays est beau et uni et les terres meilleures qu'en aucun lieu ». On dirait que le rédacteur de discours du premier ministre canadien a écrit le scénario. L'objectif de cette série est de présenter une version de l'histoire du Canada. Une seule. Et de mettre fin aux interprétations historiques divergentes qu'entretiennent les francophones et les anglophones du Canada. Patrimoine Canada et sa ministre ont-ils financé cette série qui ne vise qu'à renforcer l'unité canadienne ? Il faudra surveiller le générique. La fondation CRB qui a de l'expérience avec *Les Minutes du Patrimoine* ou Bell Canada, dont le PDG Jean Monty est le gestionnaire des Bourses du millénaire et qui a lui aussi financé les productions de Scully y apparaîtront-elles ? Espérons que Normand Lester sera à l'affût.

Les astuces du Conseil pour l'unité canadienne

L'appellation même de cet organisme, Conseil pour l'unité canadienne (CUC), évoque on ne peut plus clairement la mission dont il est investi : « Effectuer des études et des recherches dans le but d'éduquer toute la population sur l'ensemble des structures du Canada, de ses provinces (légales, juridiques, politiques, culturelles) et [...] propager les conclusions et résultats desdites études et recherches au moyen d'assemblées publiques, d'écrits et de tous autres modes de communication » en vue de renforcer l'unité et l'identité canadiennes. Le CUC gère également une pléiade de programmes dont les liens avec son mandat ne sont pas toujours évidents.

Sept bureaux régionaux forment le réseau du CUC, dont deux sont situés au Québec (Montréal et Québec), ce qui démontre encore une fois que, dans le dossier de l'« unité nationale », le Québec a droit à un statut particulier.

Les activités du CUC sont prises en charge par le Centre de recherche et d'information sur le Canada (CRIC). C'est à lui que revient la tâche « de renseigner et d'éduquer les Canadiennes et les Canadiens sur leur pays, par le biais de publications, de recherches, de symposiums et d'activités d'animation ». Ce mandat n'a rien de surprenant. Ce qui surprend, en revanche, c'est que le Conseil pour l'unité canadienne gère un programme d'échange d'étudiants et d'échange de résidences !

Pour le premier programme, « Emplois d'été/Échanges étudiants », on comprend que l'objectif est de montrer aux adultes de demain la grandeur et la beauté du Canada en favorisant des rapprochements entre les jeunes des différentes provinces. C'est l'aspect bassement politique – et qui plus est, inavoué – de ce programme qui dérange. Si les échanges entre étudiants de différentes régions sont, tous en conviennent, des plus formateurs, pourquoi ce programme relève-t-il du Conseil pour l'unité canadienne plutôt que des ministères responsables de la jeunesse ou de l'éducation ?

Il y a là des raisons cachées qui échappent même au vérificateur général du Canada qui se pose de sérieuses questions sur la façon dont le CUC dépense les fonds publics.

L'autre programme, dit « Échange résidences Canada », laisse pour le moins perplexe. Vous voulez partir en vacances et découvrir le Canada ? Faites connaissance avec un Canadien d'une autre région et échangez vos maisons !

Conseil privé et opérations de charme

Dans les moments de panique qui ont suivi le référendum de 1995, le gouvernement libéral fait adopter en toute vitesse une résolution par la Chambre des communes reconnaissant le caractère distinct du Québec au sein de la fédération canadienne. Une telle reconnaissance, que certains ont comparée un moment avec une des clauses de l'accord du lac Meech pourtant combattu par l'actuel premier ministre du Canada, n'a toutefois aucune portée juridique ni aucune valeur constitutionnelle, alors qu'elle en aurait eu si l'accord du lac Meech avait été entériné. D'ailleurs, la résolution peut être abrogée simplement par un futur parlement. Cela n'empêchera pas le Conseil privé de dépenser 600 000 $ pour la production d'une courte brochure faisant état de l'adoption de cette résolution sur la société distincte.

On peut voir une autre opération de charme dans la conférence internationale sur les vertus du fédéralisme qui se tient, sous le patronage du ministre Dion, à Mont-Tremblant, à l'automne 1999. Réunissant des experts et praticiens du fédéralisme, cet événement vise un objectif inavoué : faire dire aux Québécois par des étrangers que le système fédéral est ce qu'il y a de mieux. Le gouvernement Chrétien compte, pour ce faire, sur le discours du président américain Bill Clinton qui participe au colloque. Cependant, les choses ne se déroulent pas selon le scénario prévu. Les souverainistes, tant du Parti

Québécois que du Bloc Québécois, font entendre leur voix tout au long des activités de la conférence.

Près de trois millions de dollars auront été investis dans ce colloque qui tourne au cauchemar pour ses organisateurs. L'opération de charme auprès des Québécois échoue et les participants ont droit à un échange de vues musclé et typique de la politique canadienne. Au terme de la rencontre, le ministre Dion n'en annonce pas moins la création d'un institut permanent de recherche sur le fédéralisme et les fédérations, pour la modique somme de 10,5 millions. Le ministre octroie en outre un financement de l'ordre de deux millions pour des recherches diverses sur le fédéralisme par le truchement du Conseil de recherche en sciences humaines du Canada. La recherche universitaire n'aura jamais été aussi gâtée par un Conseil des ministres. Peut-être faut-il voir là une influence directe du professeur Dion ?

Endoctrinement d'artistes et grimaces diplomatiques

Pourtant loin des préoccupations de la politique intérieure en raison du champ même de ses activités, le ministère des Affaires étrangères et du Commerce international est lui aussi entraîné dans le mouvement de propagande qui est en train de s'institutionnaliser à Ottawa. Il faut ici souligner la tentative du ministre Axworthy, qui n'a pourtant pas la réputation d'être un partisan de la ligne dure envers le Québec, d'établir en 1996 un critère de promotion de l'« unité nationale » et de la « culture nationale » canadiennes en vue d'aider les artistes canadiens à se produire à l'étranger. À la suite d'une poursuite judiciaire engagée par la Confédération des syndicats nationaux (CSN) et face au tollé déclenché par cette volonté de limiter ou d'encadrer la liberté d'expression des écrivains, chanteurs, peintres, danseurs et cinéastes, le ministre fera finalement marche arrière.

Une contribution additionnelle du ministère des Affaires étrangères à l'entreprise de propagande est la production d'un guide à l'intention des membres du corps diplomatique canadien en poste à l'étranger, sujet qui sera traité plus à fond dans le prochain chapitre qui aborde la dimension diplomatique du plan B. Ce petit catéchisme enseigne aux ambassadeurs et consuls canadiens des méthodes, des trucs, pour contredire les propos des souverainistes sur la scène internationale. Les auteurs du guide vont même jusqu'à suggérer des phrases toutes faites pour tenter de neutraliser le discours souverainiste tenu à Paris, Tokyo, Casablanca ou Mexico. Un langage non verbal, un véritable langage des signes anti-souverainistes, est même proposé aux diplomates canadiens pour exprimer leur désaccord ! Le ministre montre ainsi le peu de cas qu'il fait de la qualité des individus qu'il nomme pour représenter le Canada à l'étranger. Lorsqu'on en vient à suggérer de faire des grimaces, c'est qu'on est à court d'arguments.

De la visibilité à tout prix

Depuis que le gouvernement canadien nage dans les surplus, il fait connaître avec insistance ses succès budgétaires. Après avoir rendu public son budget en février 2000, le gouvernement Chrétien débourse 3,6 millions pour une campagne publicitaire vantant les vertus de celui-ci. Il faut dire que, dans l'esprit du ministre des Finances et dans celui du responsable des communications du gouvernement, Alfonso Gagliano, cette campagne publicitaire s'avère le dernier recours pour attirer l'attention de la population sur l'exploit budgétaire du gouvernement qu'une affaire moins reluisante a relegué dans l'ombre. En effet, au même moment, un scandale éclate à propos de l'attribution indue de subventions par le ministère du Développement des ressources humaines. Les projecteurs sont braqués sur cet incident. Il s'impose donc de répandre la bonne nouvelle pour faire oublier la mauvaise, et une large part des millions dépensés à cet effet le sont, encore une fois, au Québec.

Pour sa part, le Conseil du Trésor donne des directives, au cours de l'exercice financier 1998-1999, à tous les ministères et à toutes les sociétés d'État, afin d'accroître la visibilité gouvernementale. Dorénavant, l'unifolié et le mot « Canada » doivent prédominer sur les symboles et les noms des sociétés d'État. Tous les ministères et toutes les sociétés d'État sont invités à déposer des plans d'action et de communication pour rehausser l'image de marque du Canada. C'est dans la logique de ces directives qu'est créé, l'année suivante, par le Conseil du Trésor, un service de guichet unique, Services Canada.

Le ministère du Développement des ressources humaines (DRH) n'est pas en reste dans l'opération visibilité. La cible première de ce ministère : les jeunes. Des 155 millions de dollars investis en 1999-2000 dans la stratégie emploi jeunesse, 50 millions sont directement administrés par DRH qui exige, comme condition du versement de la subvention, que le coordonnateur du projet « identifie clairement et de façon évidente la contribution du gouvernement du Canada dans le cadre de l'initiative jeunesse [...] en reconnaissant la contribution du gouvernement du Canada dans les annonces, les entrevues, les cérémonies, dans la publicité et les activités promotionnelles, dans les discours, les conférences, les publications et dans la procédure de recrutement ».

En outre, toujours en vue d'augmenter la visibilité du gouvernement du Canada, tous les ministères fédéraux engagés dans des programmes destinés à la jeunesse sont encouragés à les faire davantage connaître.

Dans le souci d'éduquer les citoyens de demain au Canada, le gouvernement fédéral, faisant fi des objections du Québec, a également instauré le programme des Bourses du millénaire qui aura notamment pour effet d'accroître la visibilité du gouvernement canadien auprès des jeunes Québécois.

La liste des actions du gouvernement fédéral pour imposer l'identité canadienne pourrait être encore plus longue. Mais l'essentiel a été dit. Après une campagne de séduction au cours des années 60 et 70 (avec la mise en place de symboles propres à la réalité canadienne), après une véritable campagne de peur à l'endroit des souverainistes au cours des années 70 et 80, la manière forte, la méthode du désespoir, est actuellement employée à coups de millions de dollars, de millions de drapeaux et de millions de répétitions du mot « Canada ». Or la répétition des mots « Canada » et « Canadien » à n'en plus finir, sur du papier à lettres, des enveloppes et quoi encore, suscite d'abord l'indifférence, ensuite l'écœurement. Sans doute, au Québec, nous en sommes même au dégoût face à cette dimension du plan B.

CHAPITRE IV

Le volet diplomatique du plan B : catéchisme et sabotage

Si le plan B vise à empêcher l'entrée du Québec dans le concert des nations, il ne faut pas se surprendre que le gouvernement fédéral veuille lui donner une dimension internationale. Il lui faut donc mettre la diplomatie canadienne à son service. Mais cet aspect du plan B peut également être compris dans une perspective historique. Le refus d'accorder au Québec l'autonomie internationale qu'il a toujours cru nécessaire à son épanouissement fait partie de l'histoire canadienne contemporaine.

Depuis longtemps, le gouvernement du Canada s'est efforcé d'encadrer et de marginaliser la présence internationale du Québec. Les combats que le Québec mène depuis la Révolution tranquille pour acquérir une personnalité internationale ont toujours été difficiles, sinon épiques. Ainsi, à la doctrine de Gérin-Lajoie sur le prolongement international des compétences, qui s'est traduite durant la Révolution tranquille par la conclusion d'ententes internationales et l'ouverture des délégations du Québec à l'étranger, le gouvernement canadien a toujours cherché à opposer le principe du monopole fédéral sur les affaires étrangères.

Ce principe a été mis en relief dans des livres blancs fédéraux publiés en 1968, qu'il s'agisse de *Fédéralisme et relations internationales* ou *Fédéralisme et conférences internationales sur l'éducation*, où l'orthodoxie fédérale se manifestait sous son plus beau jour. Si le Québec a pu conclure des ententes (le mot « traité » a dû d'ailleurs être banni du vocabulaire conventionnel québécois), que ce soit en matière d'éducation et de culture ou en matière de sécurité sociale, le gouvernement fédéral a constamment cherché à les encadrer par des accords-parapluie ou des accords-cadres. Lorsqu'il s'est agi de délégations à l'étranger, le Québec n'a pu en ouvrir qu'avec la permission du gouvernement du Canada. Dans certains cas, par exemple sur le continent africain, cette permission n'est jamais venue. Et, pour ce qui est de la participation du Québec aux travaux des organisations et des conférences internationales, le gouvernement fédéral a toujours insisté pour que ses représentants s'intègrent à la délégation canadienne.

Sans doute est-il vrai que, en ce qui concerne ses rapports avec la France et avec l'ensemble de la francophonie, le Québec a obtenu davantage et jouit d'une autonomie un peu plus grande. Les privilèges de la délégation du Québec à Paris et du consulat général de France à Québec ainsi que les visites officielles des premiers ministres français et québécois donnent une allure diplomatique aux rapports entre la France et le Québec. Le statut de gouvernement participant du Québec à l'Agence de la Francophonie (jadis l'Agence de coopération culturelle et technique) et dans les conférences internationales de la Francophonie, y compris au Sommet des chefs d'État et de gouvernement ayant le français en partage, est souvent invoqué à l'appui de la prétention d'ouverture du Canada aux ambitions internationales du Québec.

Mais les rapports du Québec avec les États étrangers et les institutions internationales demeurent précaires et le demeureront aussi longtemps qu'aucune protection constitutionnelle ne leur sera accordée. Toufefois, l'introduction, dans la Constitution du Canada, d'un droit de conclure des traités et d'un droit de représentation internationale pour les provinces canadiennes n'a jamais été une priorité. Pourtant, certaines fédérations, notamment la Belgique, ne craignent pas de reconnaître de véritables compétences internationales à leurs États membres et de mettre en place des mécanismes de coordination et de concertation visant à arrimer les relations internationales des uns et les affaires étrangères des autres.

L'opposition du gouvernement fédéral n'a cependant pas réussi à mettre complètement en échec les politiques internationales du Québec et à empêcher son rayonnement international. Le gouvernement fédéral estime qu'il s'agit là pour le Québec d'un instrument au service de son projet d'indépendance et qu'il lui faut par conséquent affaiblir ces politiques. C'est en tout cas à cette constatation que conduit l'observation de la politique fédérale pratiquée entre 1976 et 1985, alors que le Parti Québécois est au pouvoir, mais aussi et surtout depuis que le ministre des Affaires intergouvernementales Stéphane Dion a annoncé l'existence d'un plan B en février 1996. Les multiples incidents qui se sont produits depuis cette date laissent croire que le gouvernement du Canada a mis son corps diplomatique au service du plan B.

Deux victimes du plan B aux États-Unis

C'est en 1998 que le nouveau délégué général du Québec à New York, David Levine, est victime du plan B. Comme il me l'explique lors d'une visite que j'effectue à New York, le gouvernement fédéral ne veut pas consentir à lui laisser porter à la fois le titre de délégué général du Québec à New York et de délégué aux Affaires multilatérales, à l'instar du délégué général du Québec à Paris qui, à une époque, a été également délégué aux Affaires multilatérales et à la

Francophonie. Mais New York n'est pas Paris. Ici, le Québec se heurte à un mur, car le Canada refuse de délivrer les documents nécessaires pour permettre de régulariser le séjour du nouveau délégué général du Québec à New York. Le gouvernement américain s'en remet pour sa part au Canada et à ses autorités sur cette question. On voit ainsi la limite de l'autonomie québécoise lorsqu'il s'agit de la représentation à l'étranger et particulièrement aux États-Unis. Mais ce n'est pas là le geste le plus inamical du Canada à l'égard du Québec, comme on le verra plus loin.

La même année, dans le cadre de mes fonctions de porte-parole du Bloc Québécois pour les Affaires étrangères, je suis appelé à participer à une mission sur le désarmement nucléaire organisée par le Comité permanent des Affaires étrangères et du Commerce international.

J'ai droit à une belle surprise à l'occasion de la visite du Comité des Affaires étrangères à New York. Invité à donner une conférence au Council on Foreign Relations, je constate avec étonnement que la formule qui avait été arrêtée par l'organisatrice de la conférence avait quelque peu changé. Ma conférence serait suivie d'un commentaire. Sans doute l'auditoire est-il à ce point prestigieux (de nombreux représentants permanents, avec rang d'ambassadeur, d'États membres des Nations Unies avaient confirmé leur présence) que le gouvernement fédéral aura dû insister auprès des organisateurs pour qu'ils donnent un droit de réplique à un fédéraliste. Ce sera en l'occurrence William Graham, le président du Comité des Affaires étrangères de la Chambre des communes, par ailleurs professeur de droit international à l'Université de Toronto, à qui on avait demandé de prendre la parole au tout dernier moment. Qui du consulat du Canada à New York ou de la mission permanente du Canada auprès des Nations Unies avait réussi à s'ingérer ainsi dans les affaires du Council on Foreign Relations et à imposer la présence d'un fédéraliste ? Je devine qu'il s'agissait d'une manœuvre conjointe.

Le service extérieur du Canada et ses agents sont décidément, il ne faut pas en douter, mis à contribution pour mettre en œuvre à leur façon le plan B. Pour les aider, le ministre Dion leur mijote des formules toutes faites.

Le petit catéchisme fédéral

L'illustration la plus saisissante de la contribution demandée aux diplomates canadiens se trouve sans conteste dans le *Manuel des chefs de mission*, un « petit catéchisme » fédéral, comme l'a baptisé le premier ministre Bouchard au lendemain de la diffusion de son contenu par Pierre O'Neill dans les pages du journal *Le Devoir* le 4 septembre 1999. Obtenu grâce aux bons soins de fonctionnaires fédéraux qui ont à cœur les intérêts supérieurs du Québec, le petit catéchisme est un monument au plan B. Il est d'ailleurs présenté au premier ministre Jean Chrétien dans une lettre que lui adresse Lloyd Axworthy, un ministre qui devient l'émule de Stéphane Dion auprès de ses agents du service extérieur. Cette lettre parle d'ailleurs du rôle du ministre canadien des Affaires intergouvernementales dans la mise en œuvre de la dimension diplomatique de son plan B et est si révélatrice :

> La présente a pour but de vous informer des mesures prises et de celles qu'on prévoit prendre pour que les chefs de mission soient mieux en mesure, au Canada et à l'étranger, de défendre le Canada et notre régime fédéral devant les démarches en faveur de la souveraineté menées par le gouvernement du Québec.
>
> Les chefs de mission qui prennent part à des visites de haut niveau du gouvernement de cette province, du premier ministre ou du vice-premier ministre notamment, reçoivent des instructions précises et participent à des séances de planification tenues par la Direction générale des communications. C'est ainsi qu'on avait procédé en vue du « printemps américain » du premier ministre. Le ministre Dion ou son

> sous-ministre mettent les chefs de mission au courant des questions relatives à l'unité canadienne lorsqu'ils se réunissent à Ottawa, afin qu'ils défendent le Canada de façon convaincante en toutes occasions. Les chefs de mission sont invités à riposter rapidement à tous les arguments en faveur de la souveraineté pour éviter que, progressivement, ceux-ci soient considérés comme fondés. (Traduction de l'auteur.)

L'objectif est clair : éviter que les arguments favorables à la souveraineté se couvrent de quelque légitimité, et pour cela il faut répondre du tac au tac. Si le *Manuel* révèle d'abord son orientation – ou est-ce son ambition ? – professionnelle, après tout il s'agit d'un document produit par le Centre de perfectionnement professionnel du ministère des Affaires étrangères et du Commerce international (le nouveau *war room* comme se plaît à l'appeler Pierre O'Neill), il trahit ensuite une volonté de préparer des chefs de mission pour un travail de contre-intelligence, ou, dans une langue un peu plus vernaculaire, de sape.

Ce petit catéchisme, qui est reproduit pour la première fois dans son intégrité en annexe de cet ouvrage, expose le mandat, l'objectif et le défi des chefs de mission lorsqu'il s'agit de répliquer aux souverainistes du Québec et relève les obstacles en ce domaine. Il définit également la stratégie pro-active que doit adopter le diplomate, qui consiste à « occuper le terrain » et à « faire valoir la bonne gouvernance du Canada [et] le rôle du Québec dans [la] politique étrangère ». L'auditoire cible du diplomate, qui doit avoir comme armes « des faits et des chiffres vrais, prouvables » et qui doit éviter les pièges tels que « se mettre sur la défensive, faire des phrases négatives, se laisser entraîner dans un débat », c'est l'interlocuteur du pays hôte, et non pas le représentant pro-souverainiste en visite.

Cette stratégie est on ne peut plus explicite. Dans le cas d'affirmations erronées, le diplomate se doit d'intervenir immédiatement, « quitte à interrompre », alors que, dans le cas de déclarations négatives – le Canada est alors mis en accusation –, il doit signifier physiquement son désaccord (en souriant, en faisant un mouvement de la tête, un geste, en prenant des notes).

La description des armes est précisée davantage encore. Il y a ainsi des « mots piégés », comme souveraineté et même séparation, que l'on doit remplacer par « sécession ». Et, dans les répliques suggérées aux diplomates, alors là, ça sent le Dion à plein nez. Il y a entre autres celles qui doivent être données lorsque le fédéralisme est mis en accusation. Ainsi, lorsqu'un souverainiste affirmera que « le Canada est une expérience qui a échoué », que « le fédéralisme canadien est un échec. Ne fonctionne pas », les réponses proposées sont suaves :

> Selon les Nations Unies, le Canada est le numéro un dans le monde pour ce qui est du développement humain.
>
> Notre Premier Ministre faisait remarquer récemment (novembre 98) que « aussi fantastique soit-il, le Canada n'est pas un ouvrage achevé ». C'est un pays en constant devenir.
>
> Le Canada est une des fédérations les plus décentralisées et aussi les plus souples dans le monde.
>
> Il reconnaît le caractère distinct du Québec
>
> (Il a été reconnu par le parlement canadien)
>
> Le Québec a un droit de veto sur toute modification constitutionnelle
>
> Le Canada est un pays à souveraineté partagée.
>
> Le Québec a des pouvoirs exclusifs dans plusieurs domaines où le Canada n'a aucun droit de regard.

Bref, le guide à l'intention des diplomates est truffé de demi-vérités, d'équivoques à opposer aux arguments des souverainistes, des demi-vérités qui appellent des démentis.

C'est dans cette perspective que je présente une communication à l'Université Harvard en octobre 1999. Mon allocution, intitulée *Manufacturing Mythology : Canadian Federalism and Quebec's Future*, vise à dissiper cinq mythes du fédéralisme canadien :

1. Le fédéralisme canadien a tenu compte de l'identité nationale du Québec ;

2. Le fédéralisme a été bénéfique pour le Québec sur le plan économique ;

3. Le fédéralisme est une garantie contre les atteintes aux droits des individus, des minorités et des nations autochtones ;

4. Le fédéralisme canadien a conféré au Québec une autonomie provinciale suffisante ;

5. Le renouvellement constitutionnel est possible au Canada.

Un diplomate du consulat général du Canada à Boston me fait l'honneur de sa présence et je prends un malin plaisir à le saluer. Je lui dis, à la blague et de façon diplomatique, que je suis curieux de voir comment il va appliquer le petit catéchisme dont l'existence vient d'être dévoilée, s'il va sourire ou prendre des notes. Son rire est gêné. Mais il prend des notes et intervient durant la période de questions.

Sans doute plusieurs de mes collègues du Parti Québécois et du Bloc Québécois ont-ils vécu des expériences analogues et pourraient illustrer l'application du petit catéchisme dans leur propre vie politique. Sans doute ont-ils parfois déjoué la vigilance de tous les catéchisés de Stéphane Dion qui croit pourtant, comme on nous l'apprend dans un autre catéchisme, que le Canada est partout…

Si le petit catéchisme vise à donner des outils aux diplomates canadiens pour rectifier les propos des souverainistes et faire ainsi planer le doute sur leur crédibilité, il existe d'autres moyens plus radicaux pour empêcher que leur message soit entendu. N'est-il pas plus simple de saboter des rencontres et des missions ? Comme nous allons le voir, plusieurs leaders souverainistes feront les frais de cette tactique.

Un homme d'État qu'il faut cacher

J'ai toujours pensé et pense toujours que l'actuel premier ministre du Québec est un homme d'État. Une personne dont on est fier lorsqu'il parle en notre nom, parce qu'il sait s'exprimer, mais aussi parce qu'il exprime des idées qui suscitent l'adhésion. Faut-il alors être surpris que le gouvernement fédéral veuille réduire les contacts que Lucien Bouchard pourrait avoir avec les chefs d'État et de gouvernement de pays étrangers à l'occasion de ses visites et missions de par le monde ? Il ne faut pas en être surpris, il faut s'en offusquer. Et s'offusquer de plusieurs incidents qui ont empêché le premier ministre du Québec de discuter avec ses homologues étrangers.

Le plus célèbre de ces incidents se rapporte à une rencontre souhaitée avec le président mexicain Ernesto Zedillo. À l'occasion d'une mission commerciale d'Équipe-Québec au Mexique qui devait se dérouler du 16 au 19 mai 1999, le premier ministre du Québec avait exprimé le souhait de rencontrer le président mexicain. La demande d'entretien avait été transmise aux autorités fédérales, mais celles-ci ne semblent pas y avoir donné de suite.

Cette question rebondit alors à la Chambre des communes, où Gilles Duceppe et moi-même cherchons à connaître les raisons pour lesquelles la requête du premier ministre Bouchard n'a reçu aucune réponse. Le moins qu'on puisse dire est que les explications ne sont pas cohérentes. Ainsi, le premier ministre informe la Chambre que c'est le président Zedillo qui a refusé la rencontre, mais il doit rectifier le tir lorsqu'on s'aperçoit que la demande d'entretien n'a jamais été transmise au président mexicain. Puis il se rabat sur l'absence du président au moment de la visite de M. Bouchard, mais il croit nécessaire d'ajouter qu'il n'est pas dans la pratique diplomatique qu'un premier ministre provincial rencontre un président. Cette affirmation se révèle également erronée et le Bloc multiplie les exemples où des premiers ministres provinciaux, et parfois de simples ministres, avaient eu de telles rencontres, entre autres l'entretien entre le ministre des Relations internationales du Québec, John Ciaccia, et le président mexicain Carlos Salinas en 1993. Avec son raffinement habituel, le premier ministre Chrétien demande : « Pourquoi emmerder les étrangers et ne pas garder nos problèmes ici ? »

M. Bouchard peut finalement rencontrer, quelques mois plus tard, le président Zedillo, qui était l'un des orateurs invités à la conférence sur le fédéralisme tenue à Mont-Tremblant. Comme ils se trouvent alors tous deux en territoire québécois, il était difficile pour les autorités fédérales d'empêcher cette rencontre. Cependant, la présence du président américain à Mont-Tremblant vient compliquer les choses. M. Bouchard avait formulé le souhait d'avoir un entretien avec le président Clinton à cette occasion. Après des semaines de négociations, le gouvernement fédéral consent à une telle rencontre, mais impose de multiples conditions : la durée de la rencontre serait de 10 minutes, elle aurait lieu en l'absence des caméras, mais en présence de l'ambassadeur du Canada aux États-Unis, Raymond Chrétien. Il ne manquait plus qu'à imposer l'ordre du jour et le contenu des discussions. Il n'y aurait pas non plus de séances de photos, car on ne souhaitait pas que les journaux du lendemain publient à la une la photographie d'un président américain avec le premier ministre du Québec, ce qui aurait donné une crédibilité additionnelle à M. Bouchard. Voilà l'étendue de la liberté d'un premier ministre du Québec lorsqu'il s'agit de rencontrer les grands de ce monde.

Un vice-premier ministre bien encombrant

Les fédéraux, comme certains se plaisent à les appeler, en ont plein les bras avec les leaders souverainistes. Ils ont à surveiller non seulement le premier ministre Bouchard, mais aussi, comme le ministre Axworthy le disait dans la lettre d'accompagnement du petit catéchisme, le vice-premier ministre, Bernard Landry. J'ai toujours cru que Bernard Landry était aussi un homme d'État « qui ne pense pas aux prochaines élections, mais aux prochaines générations », selon la définition qu'en donnait Jean Monnet, celui qu'on a surnommé le père de l'Europe pour son rôle d'artisan de la construction européenne. Le rayonnement international du ministre d'État à l'Économie et aux Finances du Québec doit causer de sérieux maux de tête aux opérateurs du plan B. À tout le moins, il crée des emplois, et des emplois payants, au Conseil privé et aux Affaires étrangères pour ceux qui sont chargés de le surveiller.

Depuis sa réélection en septembre 1994, le vice-premier ministre Landry a participé avec assiduité aux rencontres de Davos. Ces rencontres, qui ont lieu en début d'année dans une jolie commune de Suisse, rassemblent les grands de ce monde, qu'ils évoluent dans l'arène politique, financière, scientifique, artistique ou autre. C'est un lieu de « réseautage » par excellence et c'est également un forum à l'occasion duquel on peut conclure de bonnes affaires. Bernard Landry est maintenant connu et apprécié à Davos, ce qui n'a pas l'heur de plaire à la gent fédérale. Alors que Bernard Landry faisait auparavant cavalier seul (ou presque) à Davos, le gouvernement du Canada tente, depuis quelques années, de marginaliser sa présence en déléguant plusieurs ministres fédéraux aux activités du forum. Leur principal mandat est de porter ombrage au ministre. En 1999, c'est le premier ministre Jean Chrétien qui a tenté d'aller voler la vedette à Bernard Landry, avec un succès très relatif, car le monde de Davos est « tricoté serré » et il faut avoir fait ses preuves pour y mériter ses lettres de noblesse. Bernard Landry sera encore à Davos l'an prochain. Préparez vos catéchismes, mesdames et messieurs les diplomates !

Le sabotage des missions commerciales du Québec

« Qui sabote les missions du Québec à l'étranger ? » se demande Michel Vastel dans une chronique du quotidien *Le Droit* le 10 janvier 2000. Après avoir mentionné un certain nombre de diplomates canadiens avec lesquels le premier ministre Bouchard a noué dans le passé des liens amicaux et professionnels et qui sont ceux qui aujourd'hui « mettaient des bâtons dans les roues » des missions commerciales et des missions de Bernard Landry, le journaliste commente un nouvel incident, qui concerne une mission commerciale au Panama et au Costa Rica : l'annulation, à la dernière minute, d'une rencontre prévue entre le vice-premier ministre et la présidente du Panama.

Et qui est responsable de cette annulation ? Marc Lortie, coordonnateur principal des relations fédérales-provinciales, serait, selon le journaliste, celui qui a ordonné aux ambassadeurs du Canada à Panama City et à San José d'empêcher toute rencontre entre le vice-premier ministre du Québec et les présidents ou les premiers ministres de ces deux pays. Il s'agirait donc de la décision d'un fonctionnaire, au dire d'un ministre fédéral du Québec, qui a parlé au journaliste. Pourtant, Marc Lortie, de même que ses supérieurs, le sous-ministre Donald Campbell et le sous-ministre adjoint Hugh Stephens, reçoivent tous trois leurs directives du ministre Axworthy.

Il est clair que des directives spéciales visent les visites de haut niveau – celles de Lucien Bouchard et Bernard Landry – qui doivent être strictement encadrées. Ces directives seront rigoureusement appliquées, de sorte qu'aucun précédent ne soit créé. Michel Vastel, qui a qualifié l'affaire d'excès de mesquinerie, ne lésine pas sur les mots en concluant son article :

> Au mépris des intérêts commerciaux du Canada, on s'acharne à saboter des missions commerciales d'entreprises québécoises.

> Et on fait cautionner cela par des ministres québécois complaisants comme Messieurs Dion et Pettigrew. Ou par des diplomates québécois contraints à la discipline, comme Marc Lortie. Pourquoi les vrais responsables de cette politique – Lloyd Axworthy, Donald Campbell, George Anderson ou Hugh Stephens – n'ont-ils pas le courage de dire eux-mêmes aux gouvernements étrangers que ce sont eux qui tirent les ficelles ? Est-ce par peur qu'au Mexique, au Costa Rica ou au Panama, on reconnaisse là les pratiques « coloniales » que ces pays ont longtemps subies ?

Les techniques de sabotage semblent aussi se perfectionner. Ainsi, une autre mission commerciale du vice-premier ministre Landry, qui l'amène au Maroc, en Algérie et au Liban à l'automne 2000, est torpillée par les opérateurs du plan B diplomatique. En effet, le ministre fédéral du Commerce international planifie une mission analogue, qui suit de très près celle du ministre Landry et qui doit se rendre essentiellement dans les mêmes pays. Appelé à commenter ce nouvel incident, Bernard Landry déclare : « Je regrette et je n'aime pas ça, ces petits incidents là. J'aimerais mieux qu'il n'y en ait pas, mais il y en a. » Il ajoute, faisant allusion à la mission au Panama et au Costa Rica : « Souvent, c'est même plus grave que ça et ils nous empêchent de voir des gens dans les pays où l'on va. »

Cependant, le 15 août, le ministre Pettigrew explique qu'il n'était pas au courant de la mission québécoise et que, dès qu'il a appris son existence, il a proposé à Bernard Landry de mener une mission conjointe. D'autres pressions se sont d'ailleurs exercées dans ce sens, l'ambassadeur canadien en Algérie ayant exprimé « sa préférence pour une mission conjointe ». Pour bien faire comprendre au ministre Landry que toute mission unilatérale du Québec ne plaît pas au gouvernement fédéral, le ministre Pettigrew sort de son chapeau la Constitution qui stipule que c'est le gouvernement fédéral qui a la « responsabilité constitutionnelle du commerce international ».

La ligne se durcit et le plan B s'enrichit d'un autre outil, l'outil de la concurrence, soutenu par l'argument massue, la

Constitution. En apportant cet argument, Pierre Pettigrew n'a pas dû consulter son *alter ego* Stéphane Dion qui a déjà dit qu'il fallait sortir de l'« obsession constitutionnelle ».

Le saccage d'une entente internationale du Québec

L'argument constitutionnel n'est pas invoqué seulement en ce qui concerne les missions commerciales du Québec, il l'est aussi en ce qui concerne les ententes internationales qu'il veut conclure.

En octobre 1997, un projet d'entente internationale entre le Québec et la France, en l'occurrence l'Entente entre le gouvernement du Québec et le gouvernement de la République française relative à la reconnaissance et l'exécution des décisions judiciaires en matières civiles et commerciales ainsi qu'à l'entraide judiciaire en matière de pensions fera l'objet de débats à la Chambre des communes, où je viens tout juste de faire mon entrée. Comme il existe un accord-cadre Canada-France sur la même matière, la France a demandé l'assentiment du gouvernement canadien, qui refuse en prétextant l'emploi de certains termes, comme « partie contractante », qui devraient être réservés à l'usage exclusif des traités entre États souverains. Le ministre canadien des Affaires intergouvernementales soutient, mais son affirmation est dénuée de fondement, ainsi que je le mentionnerai en Chambre, que la France rejette le vocabulaire utilisé et il lui prête des intentions, cela à des fins partisanes. Pour lui, la solution est simple : « Il s'agit de [...] ne pas mêler les Français à nos histoires. »

Ne pas mêler les Français à nos histoires ! C'est tout le contraire que fait Stéphane Dion, car il laisse entendre que le texte de l'entente embarrasse le gouvernement français. Or, vérification faite auprès de l'ambassadeur de France à Ottawa, le texte n'embarrasse nullement la France. Sylvain Simard, alors ministre des Relations internationales du Québec, rappelle d'ailleurs que le texte de l'entente reprend exactement les termes que contiennent les ententes signées par le gouvernement du Québec depuis 40 ans. Il accuse le ministre Dion de mesquinerie politique et fait remarquer que celui-ci « a perdu une belle occasion de se taire. [...] Ce qu'il nous dit, c'est qu'utiliser l'expression "partie contractante" dans un accord international, c'est occasionner la reconnaissance de la souveraineté du Québec ».

Pourtant la pratique québécoise dans le domaine des ententes internationales démontre que le vocabulaire employé n'a jamais été considéré comme propre à favoriser la reconnaissance internationale de la souveraineté du Québec et ne met pas en péril les prérogatives du gouvernement canadien. Il en va de même pour la pratique conventionnelle des cantons, Länder, communautés et régions de Suisse, d'Allemagne et de Belgique qui concluent des accords internationaux dont le vocabulaire est semblable et ne vise pas à « faire état d'un droit de souveraineté », comme le laissera entendre aussi le ministre des Affaires étrangères, Lloyd Axworthy.

Le ministre Axworthy finit par inviter le gouvernement du Québec à reprendre le dialogue sur cette question et annonce par communiqué « vouloir aider le gouvernement du Québec à conclure une entente avec la France ». Par la suite, il expliquera que, pour parvenir à une solution, des changements mineurs ont été proposés au gouvernement du Québec, mais que celui-ci refuse de négocier. Il ajoute : « Franchement, le gouvernement du Québec est simplement en train d'essayer de soulever un autre problème, un autre argument en faveur de la séparation, alors que cela ne s'applique pas parce qu'il est une province du Canada. »

Quelques mois plus tard, alors que je me trouve dans le même avion que lui, le ministre Sylvain Simard me dit que l'entente n'a jamais été conclue et me raconte en détail cette manœuvre fédérale qui dérive directement du plan B. Il s'agit de bâillonner la pratique du Québec en matière d'ententes internationales que le fédéral n'a jamais appréciée et que les gouvernements successifs du Québec, quelle que soit leur étiquette, ont défendu avec acharnement. Il faut dire que la capacité de conclure des ententes s'appuie sur une autonomie que le gouvernement fédéral tolère de plus en plus mal dans le cas du Québec. D'ailleurs, ne considère-t-il pas que la conclusion d'accords internationaux est réservée à la compétence fédérale en matière d'affaires étrangères ? Jusqu'où le gouvernement canadien veut-il donc étendre son monopole ?

Diversité culturelle et exclusion québécoise

Si, dans sa dimension diplomatique, l'offensive fédérale s'est surtout concentrée sur le secteur commercial, le domaine de la culture n'est pas épargné, la cible étant ici les relations culturelles internationales. Du coup, la participation du Québec aux conférences et aux réunions internationales sur la diversité culturelle devient un nouveau sujet de conflits entre Ottawa et Québec.

Le conflit naît du refus du gouvernement du Canada d'associer convenablement le Québec à une conférence sur la diversité culturelle qui se tient à Ottawa en 1998. La ministre fédérale Sheila Copps avait invité Louise Beaudoin, alors ministre de la Culture et des Communications du Québec, à assister aux débats, mais refusé de lui reconnaître un droit de parole. Malgré un échange de lettres, le problème reste entier, et Louise Beaudoin décide de ne pas assister à la conférence, choquée à juste titre de voir que le gouvernement fédéral ne lui donnait qu'un rôle secondaire, sans droit de parole.

Le conflit entre Ottawa et Québec n'a aucunement perdu de son intensité lorsque, en mars 1999, la ministre française de la Culture, Catherine Trautman, invite directement le Québec à participer à une autre conférence internationale sur la diversité culturelle à laquelle sont aussi associés des pays latino-américains. C'est alors au tour du gouvernement du Canada de bouder cette conférence et de souligner que la France n'a pas respecté l'ordre protocolaire en invitant un État non souverain à participer à une conférence en compagnie d'États souverains. Une preuve, comme il y en a tant d'autres, que la souveraineté n'est pas dépassée pourvu que ce soit celle du Canada !

En conséquence, le premier ministre Bouchard monte aux barricades pour réclamer un véritable droit de parole pour le Québec dans les forums où il est question de diversité culturelle de même qu'à l'Unesco. C'est à l'occasion d'une visite officielle en Catalogne qu'il fait référence à cette dernière institution, tout en prenant soin de préciser que la participation du Québec se ferait « au sein de la délégation canadienne ». Le 24 mars 1999, peu après le retour du premier ministre, Louise Beaudoin, devenue ministre des Relations internationales, rend publique la déclaration politique du gouvernement du Québec sur les modalités de la présence du Québec au sein d'organisations internationales dans le domaine de la culture, de la langue et de l'identité. Le Québec y fait connaître son intention de négocier une entente intergouvernementale avec Ottawa relativement à une telle présence. D'ailleurs, des ententes intergouvernementales de cette nature existent déjà ; elles énoncent les modalités de participation du Québec à l'Agence et au Sommet de la Francophonie.

L'architecte du plan B, le ministre Stéphane Dion, démontre une fois de plus le manque de flexibilité de son fédéralisme canadien… et dit non. Dans sa réponse, il fait un procès d'intention au gouvernement du Québec et déforme ses revendications. Avec l'arrogance et la suffisance qu'on lui connaît, il déclare :

> On ne peut évidemment pas travailler dans l'esprit de la déclaration d'hier, car c'est une déclaration qui a une orientation séparatiste. Elle dit que c'est le gouvernement du Québec qui doit représenter les Québécois à l'étranger en matière culturelle

et lui seul. Et si tel devait être le cas, pourquoi alors le gouvernement du Québec ne devrait pas être le seul à représenter les intérêts des Québécoises au Canada sur le plan culturel ? Et pourquoi s'arrêter en chemin et pourquoi ne pas dire aussi sur le plan social, économique ? Vous voyez donc l'esprit dans lequel le gouvernement du Québec veut lancer une discussion. Ce n'est pas dans cet esprit que nous voulons travailler.

On a déjà vu l'esprit dans lequel le gouvernement du Canada voulait travailler sur la question de la diversité culturelle. Il autorise le Québec à assister aux débats, mais sans lui reconnaître un droit de parole. Sans doute conscient du fait qu'il avait adopté une position intenable car il s'agit d'un domaine de compétence provinciale en vertu de la Constitution, le premier ministre Chrétien finit par accepter l'idée d'un certain rôle du Québec au sein d'une délégation canadienne qui doit participer à la conférence de Mexico sur la diversité culturelle, en mai 1999. Cette volte-face, cependant, fait suite aux débats qui ont lieu à la Chambre des communes, le 19 mars 1999, concernant cette question.

Invité à dire s'il entend donner un droit de parole au Québec à la conférence de Mexico, le premier ministre Chrétien répond, et ses propos en disent long sur l'estime dans laquelle il tient les « péquistes », qu'« à toute conférence de cette nature, lorsqu'un représentant du gouvernement du Québec ou des représentants d'autres gouvernements provinciaux sont présents, ils peuvent participer à la discussion. Les ministres et les fonctionnaires qui représentent le gouvernement sont très heureux de leur donner le droit de parole lorsqu'ils ont quelque chose d'intéressant à dire ». L'attribution du droit de parole dépend donc des savantes évaluations par ces ministres et fonctionnaires de ce qui est digne ou non d'intérêt. S'ils considèrent que les représentants du Québec n'ont rien d'intéressant à dire, pas de droit de parole !

Au cours du même échange, le premier ministre fait allusion au refus de Louise Beaudoin de participer à la conférence qui s'est tenue à Ottawa en 1998. Les « péquistes », dira-t-il, réclament le droit de parole, mais « lorsqu'on les invite, par exemple, à participer, à célébrer la francophonie canadienne, ici à Ottawa, ça ne les intéresse pas. Tout ce qui les intéresse, c'est d'essayer de faire de la petite politique avec les droits fondamentaux de tous les Canadiens français de ce pays ». On voit là l'esprit qui oriente la démarche fédérale et qui ramène le débat à la francophonie canadienne, la seule à laquelle le Québec devrait s'intéresser sans doute, puisqu'il n'est pas un État souverain. C'est le genre de fédéralisme paternaliste qu'aime pratiquer Jean Chrétien sur la scène internationale et le genre de repli intérieur qu'il propose au Québec.

Dans ce dossier, le gouvernement fédéral se voit obligé de revenir sur sa position. Dans une missive qu'elle fait parvenir à la nouvelle ministre québécoise de la Culture et des Communications, Agnès Maltais, le 25 avril 1999, Sheila Copps, ministre du Patrimoine canadien, écrit que « dans le contexte de nos discussions autour de la diversité culturelle, il me fera plaisir de vous offrir la parole en tant que membre de la délégation canadienne à partir du siège officiel du Canada, conformément au droit international et à la pratique diplomatique ». Toutes les précautions sont prises pour que le Québec ne puisse pas prétendre parler en son nom propre. La ministre Copps ajoute que « s'il y a un dossier très spécifique [...] auquel le Québec tient chèrement, le Québec ira s'exprimer dans la chaise du gouvernement canadien. À ce moment-là, ce sera lui qui sera le porte-parole ».

Dans ce domaine, l'exclusion du Québec constitue un outil trop radical et le boycott n'a donné aucun effet utile. Le plan B ne peut être mis en œuvre de façon intégrale ici. Mais le Canada a sauvé la face en obligeant le Québec à accepter un encadrement exemplaire au sein de la délégation canadienne.

La reconnaissance internationale du Québec, l'affaire du Canada ?

De tous les sabotages, le plus difficile – et le moins susceptible de réussite – est sans doute celui qui cible la reconnaissance internationale éventuelle du Québec. La difficulté réside dans le fait que cette reconnaissance n'est pas vraiment à l'ordre du jour et qu'elle est laissée à l'entière discrétion des États étrangers. Si, exceptionnellement, le droit international a imposé aux États une obligation de non-reconnaissance, comme dans le cas des bantoustans créés par l'Afrique du Sud, la règle générale veut que le pouvoir en matière de reconnaissance soit discrétionnaire et que celle-ci ne soit assujettie à aucun critère. Il est vrai que la Communauté européenne et ses États membres ont adopté, en décembre 1991, une déclaration intitulée *Lignes directrices sur la reconnaissance des nouveaux États en Europe orientale et en Union soviétique*, mais l'application de ces lignes directrices a une portée géographique limitée, comme le titre le laisse deviner. Cependant, ces lignes directrices sont une indication générale de ce que pourraient être les critères politiques qui orienteraient la décision des États dont le Québec solliciterait, le moment venu, la reconnaissance.

La reconnaissance internationale est considérée comme la démarche ultime d'un peuple qui veut accéder à la souveraineté et participer au concert des nations. Il n'est alors pas surprenant que le gouvernement fédéral ait voulu, en exécution de son plan B, s'attaquer à la notion même de reconnaissance internationale et agir sur les États susceptibles d'être sollicités par le Québec, et surtout sur ceux qui semblent mieux disposés que d'autres à reconnaître sa souveraineté. Ouvrant son « grand jeu », l'ancien premier ministre Jacques Parizeau souligne en 1997 dans son livre *Pour un Québec souverain*, l'importance qu'avait accordée le gouvernement du Québec à la préparation de la reconnaissance des États étrangers et la possibilité réelle que certains, notamment la France, prennent rapidement fait et cause pour la reconnaissance du Québec après une victoire référendaire du camp du Oui. La lecture du chapitre intitulé « La reconnaissance internationale d'un Québec souverain » aide à mieux comprendre la nouvelle obsession de Stéphane Dion : la reconnaissance.

En proie à cette hantise, le ministre canadien des Affaires intergouvernementales cherche à convaincre les Québécois que la reconnaissance des autres États suppose au préalable le consentement du gouvernement canadien. La guerre épistolaire de l'été 1997 lui donne d'ailleurs l'occasion de développer sa thèse.

C'est la question de la déclaration unilatérale d'indépendance qui déclenche le débat sur la reconnaissance internationale du Québec. Bien que le ministre Dion ne fasse pas référence à la reconnaissance internationale dans sa lettre du 11 août, il affirme que le droit de faire unilatéralement sécession n'est pas donné aux entités constituantes d'un pays démocratique comme le Canada. Cette affirmation, ainsi que l'argumentation qui l'accompagne, donne lieu à une nouvelle réplique que le ministre Bernard Landry est chargé de préparer. C'est lui qui soulève, dans sa lettre du 12 août, la question de la reconnaissance internationale du Québec. Il rappelle que le Canada a reconnu l'indépendance de nombreux États depuis la Seconde Guerre mondiale et qu'il devrait être disposé à reconnaître le Québec après l'échec des négociations entre le Québec et le Canada.

Après deux semaines de cogitations avec son Conseil privé, et dans une réplique qui parvient au vice-premier ministre du Québec le 26 août 1997, le ministre Dion précise sa pensée et celle de son gouvernement sur la question de la reconnaissance :

> [Aucun] gouvernement au Canada ne peut s'engager à reconnaître une sécession à l'avance, dans l'abstrait, sans en connaître les conditions concrètes. Cette position nous paraît la seule

> raisonnable et conforme à la pratique internationale habituelle, qui veut qu'aucune entité constituante d'un État ne doive être reconnue comme étant indépendante de lui contre sa volonté. Depuis 1945, aucun État créé par sécession n'a été admis aux Nations Unies sans l'approbation de l'État prédécesseur.

Cette lettre du ministre a de quoi faire bouillir le professeur de droit international que je suis. Le discours est tordu. Il y est question de pratique « habituelle », et l'on confond la reconnaissance internationale avec l'admission dans une organisation internationale. Mais le pire est à venir, car le ministre ajoute :

> Sans l'appui du gouvernement canadien, une déclaration d'indépendance faite par votre gouvernement n'obtiendrait pas la reconnaissance de la communauté internationale. Celle-ci considérerait toute tentative de sécession comme une affaire canadienne à traiter selon nos traditions démocratiques et juridiques. Vous savez bien que « le grand jeu » diplomatique de M. Parizeau n'y aurait rien changé la dernière fois.

Le commentaire du premier ministre Bouchard n'est pas tendre : « Il n'appartient pas à M. Dion de parler au nom du monde entier. » Le ministre Dion, la chose est claire, fait un procès d'intention à la communauté internationale des États dans son ensemble, pour reprendre une expression chère aux internationalistes. Or, ce n'est pas Stéphane Dion et son plan B qui dicteront aux États ce qu'ils doivent faire. Des États pourraient vouloir reconnaître le Québec sans que le Canada lui ait donné son appui. Ils en ont la liberté et la compétence.

Et ils l'ont déjà fait. Si des États refusent de reconnaître la République turque de Chypre-Nord ou la Tchétchénie, plusieurs ont reconnu un État palestinien sans demander la permission à Israël et d'autres le feront peut-être après une déclaration unilatérale d'indépendance que l'Autorité palestinienne pourrait adopter prochainement. Certains, et ils sont fort nombreux, ont reconnu la République sahraouie en dépit des objections du Maroc. On pourra m'opposer que, puisqu'il s'agit de situations coloniales, la reconnaissance internationale est mieux justifiée. Toutefois, l'argument ne tient pas, car la réalité veut que, dans ce contexte, comme dans un contexte non colonial, les États détiennent une discrétion absolue à ce chapitre et peuvent reconnaître un nouvel État au moment qu'il leur convient.

Personne ne saurait nier que les avis des uns et des autres peuvent influencer les États. Toutefois, la volonté des Québécoises et des Québécois exprimée démocratiquement pourrait, aux yeux des États de la communauté internationale, prévaloir sur les objections du Canada.

Bernard Landry et Stéphane Dion ont l'occasion de débattre de la question sur les ondes de Radio-Canada après leur échange épistolaire. Le ministre canadien ne se montre pas à la hauteur. Ses arguments sonnent faux, autant à l'oral qu'à l'écrit. Le problème en ce qui concerne Stéphane Dion, c'est qu'il croit qu'il a toujours raison et qu'il détient seul la vérité. Les Québécois n'aiment pas ce genre d'attitude. Ils préfèrent des personnes qui, comme M. Landry, mènent un combat fondé non pas sur la menace de représailles, mais bien sur le pouvoir de conviction. Ils préfèrent un individu qui dira : « Je veux convaincre la majorité des Québécois de faire la souveraineté », plutôt que : « Vous ne serez pas reconnus si le Canada ne le veut pas. »

De là l'importance du « grand jeu » de M. Parizeau et du travail préalable pour obtenir la reconnaissance internationale du Québec. Cela, le gouvernement du Canada, son ministre des Affaires étrangères et le coordonnateur en chef des mesures pour empêcher l'accession du Québec à la souveraineté, Stéphane Dion, le savent fort bien, car leur plan B comporte des mesures visant à faire obstacle à toute activité du Québec susceptible de faciliter la reconnaissance du Québec au lendemain d'un vote majoritaire des Québécois en faveur de la souveraineté.

Il faut être naïf pour ne pas croire que l'appareil diplomatique fédéral ne joue pas, et depuis fort longtemps, son propre « grand jeu ». Le refus que le Canada oppose au Québec pour ce qui est de l'ouverture d'une délégation sur le territoire africain, de même que les embarras qu'il lui suscite quant à sa participation aux travaux d'organisations internationales, procède de ce « grand jeu » qu'on pourrait qualifier de stratégie d'étouffement. C'est sans doute aussi cette stratégie qui explique que l'aide internationale du Canada est si généreuse dans certains pays d'Afrique francophone qui profitent des largesses canadiennes et se font avertir sans trop de détours qu'il ne faudrait surtout pas qu'ils s'intéressent aux affaires intérieures du Canada.

Le plan B au pays de Marianne

Le plan B, dans sa version diplomatique, prend ainsi pour cible ceux qui ont su manifester une ouverture à l'égard des revendications politiques du Québec, en particulier la France. C'est pourquoi, depuis 1996, chaque visite officielle des premiers ministres du Québec et de la France donne lieu à un intense lobbying diplomatique visant à contenir les répercussions de telles visites et à frustrer le Québec dans sa volonté de maintenir ses acquis. Les interventions sont tantôt grossières – un ambassadeur canadien traite de « loose cannon » le président de l'Assemblée nationale de France, Philippe Séguin, dont le soutien aux souverainistes est connu, – tantôt plus subtiles – le ministre Dion minimise l'appui de Chirac à Bouchard à l'occasion de la visite de ce dernier en France en septembre 1997. On essaie par ailleurs de s'associer avec la France dans le dossier de la diversité culturelle, en tentant de marginaliser le Québec.

Il n'en demeure pas moins que la France continue d'accompagner le Québec dans sa démarche, de sorte que l'offensive diplomatique fédérale se heurte à un sain scepticisme des Français. Bien qu'avec l'arrivée de Raymond Chrétien à Paris, le plan B s'appliquera sans doute de façon plus insidieuse, comme s'en inquiète Anne Legaré, dans les pages du journal *Le Devoir* le 6 juillet 2000, la France résiste dans l'ensemble. Elle continuera de résister, car la France et le Québec sont en quelque sorte unis dans un combat commun, non seulement pour la langue, mais aussi et surtout pour la liberté.

Washington, ville interdite

Les États-Unis d'Amérique représentent aussi une cible importante du plan B. Mes propres expériences, dont j'ai fait état plus haut, témoignent de l'exécution du plan B en territoire américain. Cependant, là comme ailleurs, le plan B ne se limite nullement à l'application du petit catéchisme fédéral à l'encontre des souverainistes qui s'aventurent chez leurs voisins du Sud. Plus que tout, le Canada cherche à décourager les rapports entre Washington et Québec et n'est absolument pas disposé à permettre au Québec d'avoir pignon sur rue dans la capitale américaine. En revanche, il est toujours prêt à donner aux Américains une tribune pour qu'ils fassent l'éloge du fédéralisme.

Il est indispensable pour un État qui souhaite avoir des rapports cordiaux avec le pouvoir exécutif, législatif et même judiciaire des États-Unis d'Amérique d'être bien représenté à Washington. Or, le Québec n'a jamais pu ouvrir une délégation dans la capitale américaine et seule la présence d'un bureau de tourisme est tolérée par le Canada. À ce propos, l'ambassadeur du Canada aux États-Unis, M. Raymond Chrétien, le neveu du premier ministre, ne se gêne pas pour faire savoir qu'il n'est nullement question de modifier la vocation touristique du bureau du Québec à Washington. Dans cette ville, il y a des interdits. Ainsi, dans une déclaration rapportée dans le journal *Le Devoir* le 12 avril 1995, il sera on ne peut plus clair :

> Le Québec a un bureau de tourisme à Washington. C'est le seul mandat de son bureau et ça continuera à être son seul mandat. Le Canada ne parle que d'une seule voix ici à Washington. La demande pour tout rendez-vous auprès des décideurs américains devra passer par nous, être faite par nous, et le rendez-vous devra être accompagné par un représentant de l'ambassade.

En dépit de cette fermeté et du maintien de la ligne dure par la diplomatie canadienne à Washington, le ministre canadien des Affaires étrangères exprime des inquiétudes au sujet de la présence permanente du Québec à Washington dans une lettre adressée au ministre québécois des Relations internationales en septembre 1997. Mis au courant, Michel Venne, éditorialiste du journal *Le Devoir,* se demande le 5 septembre 1997 « quelle mouche a piqué Axworthy ? », car « la lettre n'énonce aucun motif pouvant expliquer la démarche du ministre canadien des Affaires étrangères ». Les motifs se trouvent ailleurs, pense Venne, qui conclut que « cette lettre peut être classée parmi les manifestations du plan fédéral pour combattre les séparatistes tel qu'appliqué à l'étranger ». Avec le recul, on peut aujourd'hui affirmer qu'il s'agit d'une manifestation évidente de la dimension diplomatique du plan B. Comme le fait remarquer Michel Venne :

> Depuis des mois, par divers moyens plus ou moins discrets, et auxquels le Québec ne réplique que du bout des lèvres, Ottawa cherche à minimiser les prérogatives internationales du Québec, province comme les autres, placées sous la tutelle du Canada à l'étranger.

Une province sous tutelle à l'étranger ! Et pourquoi ne pas imposer aussi une tutelle à l'intérieur ? Stéphane Dion doit déjà penser au projet de loi sur la clarté qui ajoutera à la tutelle internationale une tutelle interne. Michel Venne dit, d'ailleurs, dans la même analyse, qu'on « ne peut s'empêcher de faire un lien avec la campagne que mène Stéphane Dion insinuant que le Québec ne pourrait pas faire reconnaître sa souveraineté par la communauté internationale, si le Oui l'emportait lors du référendum, sans qu'Ottawa ait d'abord donné son aval. »

Une autre manifestation du plan B se trouve dans la volonté de se servir des personnalités politiques américaines pour faire la promotion de l'unité nationale en territoire canadien.

Ainsi ce n'est pas sans raison que toute la classe politique outaouaise est conviée en mars 1999 par le ministre des Affaires étrangères, Lloyd Axworthy, au Musée de la civilisation, à Hull, où la secrétaire d'État américaine, Madeleine Albright, prononce un discours. Dans son allocution, où le français occupe une place de choix, Mme Albright réaffirme la position américaine concernant l'avenir politique du Canada et fait allusion, de façon implicite, à l'avis de la Cour suprême. À la suite de ce discours, les membres du personnel diplomatique américain laissent entendre que les États-Unis approuvent la lecture faite par le gouvernement fédéral de l'avis de la Cour suprême.

Le recours ultime à cet égard est l'invitation faite au président américain à venir prendre la parole à la conférence sur le fédéralisme qui a lieu à Mont-Tremblant en octobre 1999. Que les mérites du fédéralisme soient vantés par le président de la plus grande puissance du monde ne peut sans doute pas nuire à la cause de l'unité canadienne, d'autant plus que cela se produit en terre québécoise.

La présence de Bill Clinton se révèle d'ailleurs être un cadeau du ciel dans les circonstances, car, je l'ai déjà mentionné, les souverainistes font entendre leurs voix et présentent le vrai visage du fédéralisme canadien aux invités étrangers du ministre Dion.

« Et puis Clinton vint… » écrit Michel David dans *Le Soleil* du samedi 9 octobre 1999 en parlant de la présence du président américain à Mont-Tremblant. Sans doute seul un président américain peut-il se permettre de dire : « Prétendre qu'un groupe ethnique, tribal ou religieux doit se constituer en nation indépendante pour se réaliser pleinement, alors qu'il n'y a pas d'oppression, qu'il jouit d'une réelle autonomie, est une affirmation discutable dans un contexte de globalisation économique. » Bien que le président Clinton parle aussi de l'Union européenne et du modèle d'avenir qu'elle représente, il présente les avantages du fédéralisme de façon plus éloquente, et nettement plus crédible, qu'aucun politicien fédéral n'aurait pu le faire.

En somme, le plan B est au service de l'unité canadienne et met à contribution ceux – et non les moindres – qui tiennent un discours propre à renforcer cette unité. Mais il fait aussi appel au discours canadien pour défendre l'unité des autres, d'autant que le refus de la séparation par les uns peut servir d'exemple aux autres… aux Québécois en particulier.

Nevis ou l'ombre du « parrain »

Alors que la France et les États-Unis font preuve d'une certaine finesse dans leur gestion de la question nationale québécoise, le Canada n'a pas toujours la même « délicatesse » dans des situations analogues. En témoigne sa conduite à l'occasion du référendum relatif à l'indépendance de Nevis, une île des Petites Antilles, située à environ 30 kilomètres au sud-est de Porto Rico, qui compte 9 500 habitants.

Deux jours avant le référendum, qui doit avoir lieu le 11 août 1998, le ministre Axworthy ne se gêne aucunement pour s'immiscer dans les affaires intérieures de l'État de Saint-Kitts-et-Nevis dont veut se détacher Nevis. L'opinion du chef de la diplomatie canadienne est très explicite :

> Le Canada croit fermement qu'à l'heure de l'intégration mondiale, partout au monde la puissance procède de l'unité et de la coopération, non de la division et de la fragmentation.

Prétextant une demande de la Communauté économique des Caraïbes (CARICOM), le gouvernement du Canada intervient de façon directe dans les affaires intérieures d'un État étranger et cherche à influencer le résultat référendaire. Cette manœuvre n'est guère appréciée du responsable de la Nevis Island Administration, M. Colin Turell, qui déclare, le lendemain du référendum : « La décision de se séparer de Saint-Kitts appartient à la population de Nevis. Il s'agit d'une question interne qui est inscrite dans notre Constitution, nous avons suivi un processus démocratique. » Il dit aussi, à propos de l'intervention du ministre Axworthy : « Je ne comprends pas pourquoi votre ministre des Affaires étrangères s'est mêlé de nos affaires. »

Ce n'est pourtant pas difficile à comprendre et l'occasion était trop belle. Faire savoir à la population de Nevis et du Québec que sécession est synonyme de division et de fragmentation, n'est-ce pas fort approprié dans la perspective du plan B fédéral ? D'autant plus approprié que, selon la Constitution de Saint-Kitts-et-Nevis, une majorité qualifiée est requise, de sorte que l'indépendance ne peut se réaliser que si les votes obtenus dépassent 66,6 %. Ce seuil n'a pas été atteint au référendum du 11 août, le Oui n'ayant récolté que 61,8 % des voix ! L'architecte du plan B, le ministre Stéphane Dion, ne peut se retenir de faire un parallèle : « Tout le monde doit convenir qu'il ne faut pas commencer des négociations difficiles sans avoir d'abord un appui clair de la population. Une courte majorité de 50 plus un, c'est irresponsable. »

Le Canada cultive de bonnes relations avec ce pays. Il y a aussi des investissements. Le premier ministre Jean Chrétien l'a visité à plusieurs reprises depuis son élection, en 1993, et il y a tissé, comme le rapporte Vincent Marissal dans *La Presse* du 12 août 1998, des liens avec certains leaders politiques qui l'ont baptisé le « parrain ». Le parrain, comme il se doit, renvoie l'ascenseur. Il sera vu en compagnie d'une délégation de Saint-Kitts-et-Nevis à la conférence sur le fédéralisme de Mont-Tremblant. S'y trouvait-il aussi des investisseurs d'Intrawest ? Serait-il question, pour le Canada, d'acheter ces îles, de proposer à ses bons dirigeants l'unité dans la coopération ?

Pour la Palestine, un tout autre discours

Le moins qu'on puisse dire, c'est que le premier ministre canadien n'a pas toujours de la suite dans les idées. Ou, à tout le moins, que, lorsqu'il parle au nom du gouvernement, la cohérence ne semble pas toujours être le plus grand de ses soucis. Le voyage au Moyen-Orient du premier ministre Chrétien va, une fois de plus, démontrer les grandes habiletés diplomatiques du premier ministre du Canada.

Parmi les gaffes du premier ministre – il y en a eu plusieurs –, une en particulier ne tarde pas à faire la manchette, à savoir sa déclaration voulant que les Palestiniens devraient garder l'arme de la déclaration unilatérale d'indépendance dans leur poche. Autrement dit, alors qu'au Canada l'idée d'une déclaration unilatérale d'indépendance paraît tellement inacceptable qu'on cherche à faire dire – sans succès d'ailleurs – par la Cour suprême du Canada qu'elle serait illégale, elle devient, aux mains des Palestiniens, une arme légitime. Cette déclaration du premier ministre donne lieu à des caricatures, des éditoriaux, des articles, mais aussi à une question en Chambre, posée le 10 avril 2000 au ministre des Affaires intergouvernementales. C'est un ministre des Affaires étrangères embarrassé qui répond ainsi :

> Le premier ministre a clairement dit qu'il faut qu'il y ait une négociation entre les Israéliens et les Palestiniens pour déterminer le futur, l'avenir des territoires occupés.

Le mal est fait. Le ministre Axworthy est incapable d'expliquer la prise de position du premier ministre. Jean Chrétien s'est mis les pieds dans les plats et ne pourra jamais les ôter complètement. Comment réagira le premier ministre Chrétien si un État palestinien indépendant est proclamé unilatéralement ? Errera-t-il encore, comme ce « Canadien errant » que je m'emploie à décrire dans une déclaration que je lis en Chambre – et que je dois à l'inspiration de deux complices (Éric Normandeau, mon adjoint parlementaire, et Éric Chalifoux, celui de mon collègue Bernard Bigras) –, accompagné par une chorale de députés qui fredonnent l'air connu :

Un Canadien errant

Un Canadien errant
Parti de ses foyers
Parcourait en gaffant
Des pays étrangers.
Parcourait en gaffant
Des pays étrangers.

Un jour, triste et pensif,
Assis au bord des flots,
Au lac Tibériade
Il adressa ces mots.
Au lac Tibériade
Il adressa ces mots.

« Si tu vois mon pays, mon pays malheureux,
Va dire à mes amis
Que je marche sur des œufs.
Va dire à mes amis
Que je marche sur des œufs. »

Ces jours tout en faux pas,
Dont rien n'est disparu
Et mon parti, hélas !

De moi ne voudra plus.
Et ma patrie, hélas !
De moi est très déçue.

Ce trait d'humour ne déplaît pas au président de la Chambre, Gilbert Parent, qui dit, amusé après ma lecture de la déclaration, qu'« il est difficile de parler et de chanter en même temps, mais on a vu, aujourd'hui, que c'était possible ». Cependant, le leader du gouvernement, Don Boudria, dont c'est la chanson préférée, est moins amusé, apprendrai-je, et me demande de m'excuser après la période de questions. Comme quoi on ne peut contenter tout le monde. Quelques jours plus tard, d'autres ont l'occasion d'être amusés, ou de ne pas l'être, lorsque David Gamble publie la version anglaise de ma déclaration dans sa chronique du 17 avril 2000 dans *The Gazette*.

Pourtant, le plan B, pas plus en anglais qu'en français, ce n'est de l'humour. Les petits et grands sabotages sont loin d'être drôles.

Des députés du Bloc « *skilful* »

Les députés du Bloc Québécois ont acquis une certaine habileté à contrarier avec efficacité le plan fédéral. Cette efficacité tient à leurs efforts soutenus et à l'énergie qu'ils déploient à l'occasion de réunions et d'activités internationales de toutes sortes. Sans abuser des sorties, ils en profitent tout de même pour expliquer à leurs interlocuteurs étrangers l'élan du Québec vers la souveraineté et la démarche éminemment démocratique qui va l'y conduire.

Je veux à cet égard mentionner le travail acharné des députés du Bloc Québécois qui, depuis 1993, s'emploient à exposer leurs convictions aux groupes qu'ils rencontrent pendant leurs missions à l'étranger. Parmi ces députés figurent deux femmes qui méritent un hommage particulier pour leur travail incessant : Francine Lalonde et Madeleine Dalphond-Guiral. Francine Lalonde, surnommée la dame Europe du Bloc, a fait connaître, comme personne ne l'avait fait avant elle, le Québec et son combat pour la souveraineté au Conseil de l'Europe à son assemblée parlementaire et aux diverses instances de cette organisation internationale qui regroupe maintenant plus de 40 États. Elle a aussi assuré le rayonnement du projet de pays que caressent tant de Québécoises et de Québécois dans les cercles de l'Union européenne et de l'Organisation de la sécurité et de la coopération en Europe. Elle m'a raconté les difficultés que lui ont faites – et continueront de lui faire selon elle – les autorités fédérales dans sa mission. Quant à Madeleine Dalphond-Guiral, elle courtise la France. Depuis son élection, en 1993, elle milite dans les associations parlementaires France-Canada et cherche à diffuser le message souverainiste dans l'Hexagone. La tâche n'est pas toujours facile, surtout lorsque des ambassadeurs du Canada en France, tel que Jacques Roy, un des grands apôtres de l'unité canadienne, font circuler – avec les canapés – tous ces petits unifoliés canadiens.

J'ai moi-même, à mon arrivée à Ottawa et en tant que porte-parole pour les Affaires étrangères, élaboré un plan d'action, qu'on intitulera plus tard *44 ambassadeurs pour un pays*, dont la mise en œuvre sera coordonnée par le caucus des affaires étrangères du Bloc Québécois. Ce caucus réunit les quatre députés porte-parole en matière de questions internationales, leurs adjoints parlementaires, ainsi que du personnel de la Direction de la recherche et des communications du Bloc Québécois. Plusieurs députés et adjoints parlementaires participent ainsi à l'effort international du Bloc Québécois et deviennent des « casse-têtes », ou des « casse-pieds », c'est selon, pour les catéchumènes de Stéphane Dion.

Dans ces circonstances, les élus du Bloc Québécois ont bien des motifs pour ne pas se réjouir d'une lettre de Lloyd

Axworthy au premier ministre, complétant le petit catéchisme fédéral, dans laquelle une requête est implicitement formulée.

> J'aimerais, avant de terminer, mentionner un élément qui, dans une certaine mesure, a nui à nos activités de promotion du Canada à l'étranger: la règle voulant que des députés de l'opposition prennent part à toutes les visites ministérielles à l'étranger lorsque la Chambre siège. Au cours de ces visites, les députés du Bloc Québécois sont habiles («*skilful*») et saisissent toutes les occasions qui se présentent pour passer leur message, établir des relations personnelles et essayer de donner l'impression que l'indépendance du Québec est pour demain. Ils ne se gênent pas pour outrepasser les usages diplomatiques et les règles habituelles visant à assurer un bon déroulement des visites des gouvernements provinciaux. Je comprends les raisons de la règle mentionnée ci-dessus, mais vu le nombre élevé des visites à l'étranger, il y aurait peut-être lieu de se demander si cette façon de procéder n'est pas contre-productive. (Traduction de l'auteur.)

Certes, l'appréciation du ministre est flatteuse – les députés du Bloc Québécois sont *skilful* (habiles), dit-il, lorsqu'il s'agit de faire la promotion de la souveraineté à l'étranger –, mais elle est lourde de conséquences: il faut les arrêter. Il suffit dès lors de ne pas les inviter à participer à des missions ministérielles et de faire la vie dure aux meilleurs ambassadeurs et ambassadrices du Bloc. Ce faisant, le gouvernement fédéral pourra atteindre partiellement cet objectif du plan B: enrayer la montée et le rayonnement du mouvement souverainiste québécois. Cependant, il a des ambitions plus grandes pour le plan B: la francophonie!

Moncton, autre ville interdite

Au moment même où le petit catéchisme est rendu public en septembre 1999 s'ouvre le Sommet de la Francophonie à Moncton. Une délégation parlementaire canadienne a été invitée à participer au Sommet, mais aucun député du Bloc Québécois n'en fait partie. La participation de députés du Bloc Québécois s'imposerait pourtant, car il s'agit d'un parti qui représente la majorité de francophones et qui est le troisième parti en importance à la Chambre des communes.

Mais, en dépit d'une lettre adressée par Pauline Picard, la porte-parole du Bloc pour la Francophonie, à son vis-à-vis Ron Duhamel, le refus est catégorique. Aucun député du Bloc Québécois ne fera partie de la délégation parlementaire au Sommet de la Francophonie. Une lettre de Gilles Duceppe au premier ministre Jean Chrétien, datée du 24 août 1999, recevra une réponse le 29 septembre suivant, signée de l'adjoint spécial-correspondance du premier ministre. Les motifs du refus de l'inclusion de députés du Bloc Québécois dans la délégation parlementaire fédérale au VIIIe Sommet de la Francophonie sont édifiants :

> Par ailleurs, la délégation parlementaire au Sommet devait refléter la diversité du Canada et de ses collectivités, sans égard à la représentation partisane à la Chambre des communes ou au Sénat. Or, huit places sur vingt-quatre au sein de la délégation de ministres et parlementaires ont été réservées à des représentants en provenance du Québec. Nous croyons fermement que cette répartition était juste et équitable.

La diplomatie de la « clarté »

Pour être complète dans l'esprit de Stéphane Dion, la dimension diplomatique du plan B doit comporter un refrain sur la « clarté ».

On a vu la diplomatie canadienne se déployer lorsque le Québec a décidé de condamner sur la scène internationale l'inique Loi sur la clarté. Par exemple, après que Louise Beaudoin a fait paraître dans le quotidien français *Le Monde* un article sur le souverainisme québécois dans lequel elle critique vertement le projet de loi C-20, et surtout après l'éditorial que signe Jacques Juillard dans le *Nouvel Observateur*, « Pour que le Québec… reste libre ! », qu'il conclut en affirmant que « l'adoption du projet de loi C-20 serait un geste inamical à l'égard de la communauté francophone », Jacques Roy, ambassadeur canadien à Paris, réplique sans tarder. Entendant mettre les choses au clair, il explique que « la démarche proposée par le gouvernement canadien vise simplement à faire savoir dans quelles circonstances il accepterait d'engager des négociations avec le Québec à la suite d'un référendum gagné par les partisans de la sécession ». Il ajoute que le gouvernement du Canada est en train d'adopter des règles de la « sécession » « dans la plus stricte légalité, et dans le respect des pouvoirs de l'Assemblée nationale du Québec » et qu'il s'agit là – on s'y attendait – de « l'exemple ultime de la démocratie vivante ».

Il faut craindre que cette diplomatie de la clarté – et du plan B dont elle fait partie intégrante – ne soit privilégiée dans toutes les capitales du monde, notamment dans la capitale française. En commentant l'entrée en fonction du nouvel ambassadeur du Canada en France, Anne Legaré a certes raison d'affirmer, dans un article du journal *Le Devoir* du 6 juillet 2000, qu'« avec Raymond Chrétien, le plan B se poursuit à Paris ».

*

Dans cet examen du volet diplomatique du plan B, sans doute n'ai-je montré que la pointe de l'iceberg. En effet, tant d'autres interventions et événements (notamment la tentative de tuer dans l'œuf l'initiative du président de l'Assemblée nationale du Québec, Jean-Pierre Charbonneau, d'instituer une Conférence parlementaire des Amériques, la COPA, ou celle de prendre en charge la visite officielle du secrétaire général de la Francophonie, Boutros Boutros-Ghali, au Québec) témoignent de la volonté du gouvernement fédéral d'appliquer son plan B. À ce plan B, dont la dimension diplomatique est peut-être la plus sournoise, il a fallu répondre, et il faut répondre encore. Car ce plan ne doit pas mettre en échec la démocratie québécoise, il ne doit pas freiner l'élan du Québec vers la souveraineté, le couper du monde.

CONCLUSION

La riposte au plan B : de l'Option Québec à l'Option Monde

Le plan B se déploie dans les arènes politiques québécoise, canadienne et internationale depuis plus de quatre ans maintenant. L'arrivée à Ottawa de Stéphane Dion a signalé le début d'une offensive dont la Loi sur la clarté peut paraître l'apothéose, mais dont il ne faudrait surtout pas croire qu'elle est terminée. Jean Chrétien et Stéphane Dion sont encore au pouvoir à Ottawa et peuvent continuer d'en abuser. Ils sont en mesure de poursuivre leur offensive contre le Québec, sa nation, sa démocratie. Ils peuvent chercher à assurer la mise en œuvre progressive de l'ensemble de leur plan et voir à ce qu'il produise les effets désirés. Concoctent-ils une dimension militaire à ce plan ou s'agit-il pour eux de mettre à jour un scénario d'occupation qui existe déjà ? Voudraient-ils greffer au plan B une dimension économique dont l'étranglement budgétaire actuel ne serait qu'une pâle illustration ? Quoi qu'il en soit, ces deux poseurs de bâillons auront toujours le Conseil privé et l'appareil fédéral pour les appuyer. Le plan B existera aussi longtemps que Jean Chrétien sera aux commandes à Ottawa et que Stéphane Dion continuera d'être en service commandé pour le premier ministre.

Le plan B, un échec, une ruse

Mais le plan B n'a réussi à faire reculer ni les souverainistes ni la souveraineté. Non seulement les souverainistes n'ont pas disparu, mais ils ont maintenu leurs assises au Québec. Les premières salves du plan B n'ont pas réussi à endiguer de façon significative l'appui au Bloc Québécois qui a fait élire 44 députés sur 75 à la Chambre des communes du Canada le 2 juin 1997. Les salves additionnelles du plan B n'ont pas non plus réussi à déloger le Parti Québécois du pouvoir à Québec et celui-ci a pu être réélu avec une confortable majorité de députés à l'Assemblée nationale du Québec lors du scrutin du 30 novembre 1998. Et, lorsque la souveraineté continue de recueillir l'appui d'environ 45 % des Québécois comme en font foi les sondages effectués dans les six premiers mois de l'an 2000, on peut conclure que le plan B n'a pas non plus réussi à réduire l'attrait de l'option souverainiste.

Quand le Parti libéral du Canada examine avec froideur la réalité politique québécoise, il peut d'ailleurs constater que les souverainistes représentent aujourd'hui 120 des 200 députés dans les assemblées parlementaires fédérale et québécoise, soit 60 % des élus du Québec. Ce même parti n'est pas aussi sans savoir qu'il n'a pas fait élire une majorité de députés provenant du Québec à la Chambre des communes depuis plus de 15 ans et que ses appuis dans la population stagnent au Québec depuis 1984. Il ne peut ignorer, par ailleurs, que le Parti libéral du Québec paraît incapable de faire concurrence au Parti Québécois et que les Québécois pourraient bien confier à ce dernier un troisième mandat.

Mais, à bien y penser, cette réalité politique semble convenir à un Parti libéral du Canada dont le maintien au pouvoir ne dépend pas nécessairement de l'élection de députés libéraux au Québec et résulte peut-être même de la présence de souverainistes à la Chambre des communes et à l'Assemblée nationale. Chacun sait que ce parti aime le pouvoir et veut s'y accrocher. Il peut croire qu'aussi longtemps qu'il y aura une « menace souverainiste » au Québec, le reste du Canada choisira le Parti libéral du Canada (et vraisemblablement un chef canadien-français) pour contrer cette « menace ». Le plan B permet au Parti libéral du Canada de maintenir ses appuis dans le reste du Canada et dans les quelques châteaux forts de l'île de Montréal et de l'Outaouais québécois.

Mais, derrière le plan B, il y a davantage. Si le plan B fait partie de la stratégie du Parti libéral du Canada, il s'agit également d'une ruse référendaire. Devant la possibilité d'un troisième référendum sur le statut politique du Québec, le plan B donne au gouvernement du Canada des outils pour faire campagne contre la souveraineté et jouer un rôle accru au Québec. Ce n'est plus un secret pour personne que le Parti libéral du Canada prend ses distances du Parti libéral du Québec sur les questions de stratégie référendaire et qu'il veut désormais mener le jeu. Il n'est pas satisfait de la place qui lui a été faite dans le passé au sein du camp du Non et il entend faire maintenant cavalier seul… ou presque. Tel me semble d'ailleurs être l'objet véritable de la Loi sur la clarté qui confère au gouvernement du Canada, et au Parlement qu'il contrôle, un instrument permettant d'intervenir pendant et après la campagne référendaire sans nécessairement devoir participer aux décisions du camp du Non.

Mais, aussi machiavélique qu'il soit, le Parti libéral du Canada n'en est pas à sa première erreur stratégique et le plan B viendra à mon avis s'ajouter aux erreurs qu'il a commises depuis le début de la Révolution tranquille. Le choix du multiculturalisme, la Loi sur les mesures de guerre, le rapatriement unilatéral de la Constitution, la conclusion de l'entente-cadre sur l'union sociale et maintenant le plan B comptent parmi les décisions qui ont élargi le fossé entre le Québec et le Canada.

D'ailleurs, les réponses données par le gouvernement, les partis politiques et la société civile du Québec aux diverses tentatives du Canada de diminuer le statut et les compétences du Québec ont privé les mesures fédérales de toute légitimité. Les mesures n'ont pas eu raison de la solidarité des Québécois. Il est vrai que les offensives répétées d'Ottawa contre le Québec sont susceptibles d'en décourager certains et de leur faire perdre leur esprit combatif. En réalité, l'offensive ultime que constitue le plan B a comme objectif de démobiliser les Québécois et de leur faire croire que toute lutte pour la liberté et l'indépendance est dorénavant vouée à l'échec parce qu'elle peut être contrée par la Loi sur la clarté et toute une panoplie d'autres mesures.

Mais la riposte au plan B devrait convaincre le Parti libéral du Canada, de même que les partis politiques et la société civile canadienne qui le soutiennent, qu'il se heurte à une détermination collective inébranlable.

L'ardeur et la vigilance du Bloc Québécois

Ainsi, depuis le jour où Stéphane Dion a annoncé l'existence du plan B, la riposte du Québec a pris plusieurs formes et s'est intéressée aux diverses composantes de ce plan. La réponse la plus percutante des derniers mois aura sans doute été la bataille menée contre le projet de loi C-20 à la Chambre des communes par le Bloc Québécois, soutenue par la société civile. Cette bataille a été farouche et a démontré que les Québécoises et les Québécois, par leurs représentants élus à la Chambre des communes, refusent la démission devant une attaque aussi pernicieuse contre la démocratie québécoise et ses institutions.

Cette lutte sans merci a eu comme résultat de priver le projet de loi C-20 de toute légitimité dès le moment de son adoption à la Chambre des communes, une légitimité qui ne s'est aucunement accrue par son adoption et sa sanction le 29 juin 2000 par des institutions dont la légitimité démocratique est plutôt douteuse, qu'il s'agisse du Sénat ou de la gouverneure générale. Le caractère essentiel de la présence des députés du Bloc Québécois aura été démontré durant ce sombre épisode de la vie politique canadienne. Une telle présence doit être maintenue pour que la Loi sur la clarté n'acquière une nouvelle légitimité et pour que des initiatives analogues puissent être de nouveau récusées par des représentants du Québec à la Chambre des communes.

La bataille du Bloc Québécois contre les autres dimensions du plan B, qu'il s'agisse des dimensions territoriale, identitaire ou diplomatique, aura été et continuera d'être, par ailleurs, une lutte quotidienne livrée à la période de questions, lors des travaux des comités parlementaires ou à l'occasion de missions parlementaires et ministérielles. Cette lutte permet souvent de lever le voile sur les manœuvres les plus grossières du gouvernement fédéral et de démontrer son manque de transparence. Cette bataille permet tantôt de révéler le gaspillage éhonté d'argent dans les outils de propagande fédérale, tantôt de dévoiler les tentatives de contrer le rayonnement international du Québec. Le Bloc exerce ce devoir de vigilance avec une ardeur dont les citoyens québécois peuvent être fiers.

Mais la réplique la plus durable à la Loi sur la clarté est sans contredit le projet de loi n° 99, cette Loi sur les droits fondamentaux du Québec, comme elle peut être à juste titre dénommée.

La Loi sur les droits fondamentaux du Québec

Face à l'assaut législatif fédéral, le gouvernement du Québec réplique en déposant, le 15 décembre 1999, le projet de loi sur l'exercice des droits fondamentaux et des prérogatives du peuple québécois et de l'État du Québec. Le projet de loi n° 99 fait alors l'objet d'audiences publiques. De nombreux groupes et citoyens présentent des mémoires et témoignent devant la Commission permanente des institutions de l'Assemblée nationale. Au nom du Bloc Québécois, le vice-président Pierre Paquette et moi-même déposons d'ailleurs, le 15 février 2000, un mémoire intitulé *Le Pari de la liberté* dans lequel il est affirmé que le projet de loi nº 99 constitue une réponse adéquate au projet de loi sur la clarté. À cette occasion, nous sommes à même de constater que la consultation sur le projet de loi nº 99 s'est faite dans des conditions nettement plus respectueuses de la démocratie parlementaire que celle effectuée par le Comité législatif spécial chargé, à Ottawa, d'étudier le projet de loi C-20.

En relisant attentivement le projet de loi sur les droits fondamentaux du Québec, je constate que ses dispositions codifient la réponse du Québec à chacune des dimensions du plan B et qu'elle s'avère en quelque sorte une réponse globale au plan B.

Ainsi, en réponse à la dimension juridique du plan B et en particulier à la Loi sur la clarté qui en est la substantifique moelle, le gouvernement québécois affirme de façon générale la possibilité, pour le peuple québécois, en fait et en droit, de disposer de lui-même. Il affirme ainsi que « le peuple québécois est titulaire des droits universellement reconnus en vertu du principe de l'égalité de droits des peuples et de leur droit à disposer d'eux-mêmes ». La réplique est plus précise lorsqu'il s'agit de codifier la règle relative au seuil de la majorité devant être atteint pour qu'une option soit déclarée gagnante. L'article 4 stipule dès lors que « lorsque le peuple québécois est consulté par un référendum tenu en vertu de la Loi sur la consultation populaire, l'option gagnante est celle qui obtient la majorité des votes déclarés valides, soit 50 % de ces votes plus un vote ». Cette précision vise à contrer l'article 2 de la Loi sur la clarté qui refuse de reconnaître un tel seuil et énumère des critères dont l'imprécision a d'ailleurs été signalée par plusieurs témoins ayant comparu devant les comités législatifs de la Chambre des communes et du Sénat.

La dimension la plus agressante du plan B de Stéphane Dion, sa dimension territoriale, ne laisse pas non plus le gouvernement du Québec indifférent. Devant les allusions du paragraphe 3 (2) du projet de loi sur la clarté à la modification des frontières, le gouvernement du Québec a également cru bon d'enchâsser dans l'article 9 de son projet de loi sur les droits fondamentaux du Québec l'affirmation selon laquelle « le territoire du Québec et ses frontières ne peuvent être modifiés qu'avec le consentement de l'Assemblée nationale ». Et, pour plus de précision et de certitude, le deuxième alinéa de cet article ajoute : « Le gouvernement doit veiller au maintien et au respect de l'intégrité territoriale du Québec. » Cette disposition législative vient ainsi compléter et donner une valeur juridique additionnelle aux prescriptions de la Déclaration ministérielle sur l'intégrité territoriale du Québec et s'appuie sur l'opinion de cinq experts internationaux consultés par la Commission d'études des questions afférentes à l'accession du Québec à la souveraineté.

Au sujet de la dimension identitaire du plan B, il n'est pas évident qu'une législation québécoise puisse offrir une réponse adéquate aux mesures de propagande fédérale destinées à assurer une visibilité aux symboles et aux dollars canadiens, mais aussi et surtout à imposer l'identité canadienne aux Québécois. Ici, la réplique consiste plutôt à réaffirmer l'importance de la langue comme facteur déterminant de l'identité québécoise. Ainsi, l'article 7 du projet de loi n° 99 précise-t-il que le français est la langue officielle du Québec et rappelle que le statut de langue française ainsi que les devoirs et obligations qui s'y rattachent sont établis par la Charte de la langue française.

S'il ajoute que l'État doit favoriser la qualité et le rayonnement de la langue, le projet de loi rappelle également qu'il « poursuit ces objectifs dans un esprit de justice et d'ouverture, dans le respect des droits consacrés de la communauté québécoise d'expression anglaise ». Cette communauté se voit ainsi garantir des droits, comme c'est aussi le cas pour les nations autochtones du Québec à qui sont reconnus, « dans l'exercice des compétences constitutionnelles du Québec, les droits existants – ancestraux ou issus des traités ». De plus, à l'égard des nations autochtones du Québec, « le gouvernement s'engage à promouvoir l'établissement et le maintien de relations harmonieuses avec ces nations et à favoriser leur développement ainsi que l'amélioration de leurs conditions économiques, sociales et culturelles ».

Ainsi, le projet de loi sur les droits fondamentaux du Québec réaffirme le caractère inclusif du Québec et oppose ainsi au plan B fédéral une vision de l'État québécois qui contredit les clichés qui sont trop souvent véhiculés dans la propagande canadienne. La tenue d'États généraux de la langue française pourrait aussi s'avérer un instrument additionnel pour répondre au plan B et réévaluer la place et le rôle de la langue française, mais aussi des autres langues, dans l'édification d'une identité québécoise, voire d'une citoyenneté québécoise. Le ministère des Relations avec les citoyens a, pour sa part, entrepris une réflexion qui aboutira à des mesures concrètes visant à favoriser la citoyenneté québécoise.

Quant à la dimension diplomatique du plan B, le projet de loi n° 99 consacre deux articles à la question des compétences internationales du Québec et cherche à codifier la doctrine Gérin-Lajoie dans un acte législatif. Il s'agit d'une réplique au refus persistant de reconnaître toute véritable autonomie internationale au Québec que l'application du plan B a mis en évidence comme jamais auparavant. Ainsi, l'Assemblée nationale est-elle invitée à adopter une disposition en vertu de laquelle le gouvernement a le devoir de soutenir l'exercice, y compris sur la scène internationale, des prérogatives dont il est investi par des lois ou des conventions constitutionnelles. Ces prérogatives sont d'ailleurs définies à l'article 7 comme étant celles de « consentir à être lié par tout traité, convention ou entente internationale qui touche à sa compétence constitutionnelle », mais aussi d'établir et de poursuivre dans ses domaines de compétence, « des relations avec des États étrangers et des organisations internationales et [d'] assurer sa représentation à l'extérieur du Québec ».

Le projet de Loi sur les droits fondamentaux du Québec récuse enfin le plan B, et en particulier la Loi sur la clarté, d'une façon très explicite en son article 13. Il y est déclaré qu'« aucun autre parlement ou gouvernement ne peut réduire les pouvoirs, l'autorité, la souveraineté et la légitimité de l'Assemblée nationale ni contraindre la volonté démocratique du peuple québécois à disposer lui-même de son avenir ». Cette disposition du projet de loi est fondamentale et vise à priver la Loi sur la clarté de tout effet à l'égard du Québec.

De la Loi sur les droits fondamentaux du Québec à la Loi fondamentale du Québec

Pour que la riposte du Québec soit plus durable encore, le projet de loi sur les droits fondamentaux mériterait d'être renforcé et de se voir donner une véritable protection constitutionnelle. En raison de l'importance des principes contenus dans le projet de loi n° 99, il ne serait pas inutile de soumettre celle-ci à une procédure spéciale de modification de sorte que tout changement à cette loi ne puisse être effectué que par une procédure spéciale, par exemple un référendum. De cette façon, les droits fondamentaux et les prérogatives du peuple québécois et de son État seraient à l'abri de changements intempestifs et de gouvernements désirant les remettre en question.

Il faudrait également envisager de donner aux dispositions de la Loi sur les droits fondamentaux du Québec une primauté sur les dispositions, les lois et les règles de droit en vigueur ou à venir au Québec, comme cela a été fait pour la

Charte des droits et libertés de la personne. Pour reprendre le langage de l'article 13 du projet de loi n° 99, aucun parlement ou gouvernement du Québec ne pourrait ainsi réduire lui-même les pouvoirs, l'autorité, la souveraineté et la légitimité de l'Assemblée nationale ni restreindre la volonté démocratique du peuple québécois.

Une telle protection aux droits et prérogatives énoncés dans le projet de loi n° 99 conférerait une valeur constitutionnelle à la Loi sur les droits fondamentaux en transformant celle-ci en véritable Loi fondamentale.

Un Chantier sur la démocratie, un canevas pour la souveraineté

Au cours des débats entourant le projet de Loi sur la clarté, nombreux auront été les appels à la démocratie. Les souverainistes ont invoqué et invoquent encore le respect du principe fondamental qu'est la liberté d'un peuple de décider librement de son avenir. Le gouvernement fédéral pour sa part se réclame de la sauvegarde de la démocratie canadienne. Le ministre Dion est même allé jusqu'à affirmer que le Canada faisait preuve d'une grande ouverture démocratique en reconnaissant qu'il était divisible, mais pas à n'importe quelle condition et surtout pas n'importe comment.

Mais la démocratie doit être plus qu'un mot qu'on utilise pour défendre les droits et les institutions du Québec. Elle doit être comprise comme un instrument pour définir les lieux d'exercice et de partage du pouvoir politique et un outil pour assurer le développement économique, social et culturel d'une nation. Et, même si l'on a des raisons de vanter la démocratie québécoise et d'affirmer – comme Claude Ryan l'a fait pendant le débat sur le projet de loi C-20 – que celle-ci se porte bien et n'a pas de leçons à recevoir du Canada, il y a lieu de passer à l'action pour l'améliorer.

Dans cette perspective, le Bloc Québécois a entrepris une vaste réflexion sur le sujet et a mis sur pied un Chantier sur la démocratie. Plusieurs groupes de travail sont déjà à l'œuvre dans le cadre de ce chantier et devraient faire rapport aux instances du Bloc Québécois au printemps 2001. Ces groupes étudient les enjeux de la démocratie sociale et de la participation des femmes à la vie politique, mais aussi des questions relatives aux institutions politiques, aux modes de scrutin et à la Constitution du Québec.

De son côté, le Parti Québécois a confié au vice-premier ministre Bernard Landry le mandat de mettre à jour le projet de souveraineté du Québec et, à cette fin, a créé en 1999 un Comité de réflexion et d'actions stratégiques. J'ai représenté le Bloc Québécois sur ce Comité et participé aux réunions que celui-ci a tenues. Le vice-premier ministre a rendu public, lors du XIVe Congrès du Parti Québécois en mai 2000, un document-synthèse faisant état des travaux du Comité et présentant – dans un argumentaire non dénué d'intérêt – les raisons qui militent aujourd'hui en faveur de l'accession du Québec à la souveraineté.

Les défis et les excès de la mondialisation, les propositions du président mexicain visant à créer une union économique et monétaire à l'européenne en Amérique du Nord, le règne des nouvelles technologies et le débat sur la diversité culturelle sont autant de motifs qui justifient la réactualisation du projet de souveraineté.

Dès le lendemain de son élection, le 30 novembre 1998, le premier ministre du Québec, Lucien Bouchard, a laissé entendre que la souveraineté reviendrait à l'ordre du jour durant la deuxième partie de son mandat. À la clôture des travaux de l'Assemblée nationale, en juin 2000, il a affirmé que le débat et la réflexion sur la souveraineté devaient redevenir une priorité pour le gouvernement. Le temps de l'action est donc arrivé !

Une offensive sur le monde

Mais il ne suffit pas de définir entre Québécois le projet de démocratie et de souveraineté qui convient à la nation québécoise. Il importe autant, et dès maintenant, de préparer une offensive sur le monde. Si le Québec doit oser, c'est plus que jamais sur la scène mondiale qu'il doit le faire. Il le fait d'ailleurs par ses entreprises, ses syndicats, ses artistes, ses écrivains et ses athlètes, par une société civile qui a conquis le monde et l'a pour principal horizon. Et la classe politique doit suivre, s'inspirer de l'exemple d'une société civile qui a livré et gagné des batailles, qui a pris sa place, qui ne s'est laissé intimider par personne.

Le IVe Congrès du Bloc Québécois, en janvier 2000, avait pour thème « Sur la voie du monde ». En mai 2000, le XIVe Congrès du Parti Québécois avait pour slogan *Un pays pour le monde*. Sans doute est-il temps de faire du monde non plus un thème ou un slogan, mais un terrain d'action. Il faut dès lors que le Bloc Québécois et le Parti Québécois se donnent concrètement le monde pour horizon. Au Bloc Québécois, la mise sur pied de la Commission des Affaires étrangères contribuera à un plus grand rayonnement du parti et de son projet politique sur la scène internationale. Au Parti Québécois, le Comité des Relations internationales doit intensifier son action aux quatre coins de la planète pour que son ambition pour le Québec soit apprécié à sa juste mesure.

Les députés du Bloc Québécois et du Parti Québécois doivent résolument faire le choix du monde. Ils sont 120 à pouvoir parler du projet de pays qu'ils caressent, à défendre la légitimité de la démarche québécoise d'accession à la souveraineté et, au besoin, à rappeler à l'ordre ceux qui déforment le projet souverainiste. Ils ne doivent se laisser intimider par aucun catéchisme. Ils participent à des missions parlementaires et ministérielles, aux travaux d'associations interparlementaires. Ils rencontrent des diplomates dans les capitales et métropoles du monde. Plus que jamais, ils doivent prendre leur place et occuper toutes les tribunes possibles.

Le gouvernement du Québec lui-même doit élaborer une offensive internationale sans précédent. À l'instar de ceux qui ont osé au début de la Révolution tranquille investir le monde, ouvrir des délégations, conclure des ententes internationales et obtenir un statut au sein de conférences et d'organisations internationales, le gouvernement du Québec doit aujourd'hui prendre les moyens de contrer un plan B dont la mise en œuvre nous fait subir des reculs. Non seulement le Québec doit-il exiger du gouvernement fédéral qu'il obtienne la place qui lui revient dans les institutions internationales qui sont appelées à façonner l'avenir de la planète en cette ère de mondialisation, qu'il s'agisse notamment de l'Unesco, de l'OMC ou de l'ONU, mais il doit également aller lui-même de l'avant en désignant des délégués auprès de ces organisations et en donnant instruction à ceux-ci d'y défendre les intérêts du Québec.

Le Québec doit aussi se battre pour être représenté de façon distincte dans les grandes compétitions sportives internationales. Si des athlètes peuvent représenter l'Écosse et le pays de Galles à la Coupe du monde de football et aux Jeux du Commonwealth, pourquoi le Québec ne pourrait-il être présent de façon distincte aux championnats mondiaux du hockey ou aux Jeux de la Francophonie ? Et pourquoi pas aux Jeux olympiques ?

Le gouvernement doit aussi prendre le leadership pour faire du Québec un laboratoire d'idées pour le monde. Que l'on pense aux débats sur la diversité culturelle, sur la génétique humaine ou sur l'inforoute, il doit appuyer comme jamais les intellectuels et les entrepreneurs du Québec qui, dans ces domaines, sont capables d'influencer la communauté internationale. Il fera ainsi la preuve que, loin de se replier sur soi, le Québec est en mesure d'apporter sa contribution à l'humanité.

À l'offensive pour bâillonner la nation québécoise, au plan B, on doit répondre en exprimant avec force notre aspiration à la liberté. Pour faire un nouveau pays pour un nouveau siècle, il nous faut ainsi ajouter à l'Option Québec, celle qu'a affirmée René Lévesque en 1967, une nouvelle option, l'Option Monde.

ÉPILOGUE

13 août 2000. C'est un dimanche et je suis à Genève, en Suisse, la ville de Jean-Jacques Rousseau, le philosophe des Lumières, que Stéphane Dion a appelé à la rescousse durant le débat sur le projet de loi C-20. Ce même philosophe qui a aussi écrit, comme je le rappelerai lors des débats qui nous ont opposés, aux Universités McGill et de Montréal, que les mauvaises lois « en amènent de pires ». C'est dans cette ville de l'auteur du *Contrat social* que se tient une conférence sur le droit à l'autodétermination et sur la démocratie à l'occasion de laquelle j'ai prononcé une allocution sur l'antagonisme entre les principes sous-tendant la Loi sur la clarté et le projet de loi sur les droits fondamentaux.

S'adressant à un auditoire composé principalement de représentants d'organisations non gouvernementales, mais aussi de représentants de mouvements de libération nationale et de partis politiques, ma communication a été bien accueillie. J'ai même eu droit à des applaudissements nourris lorsque j'ai affirmé que les peuples à qui l'on refusait l'autonomie ne devraient pas plier l'échine, mais réclamer, le cas échéant, l'indépendance qui leur procurera la liberté qu'ils méritent. À la fin de la conférence, l'importance du droit à l'autodétermination des peuples sera réitérée et les violations de ce droit seront, en termes généraux, condamnées. Le bureau de la Conférence doit d'ailleurs élaborer, en vue de la prochaine rencontre, une procédure en vertu de laquelle un examen des cas spécifiques de violations du droit à l'autodétermination aura lieu et des recommandations pourront être adoptées en conséquence. La Conférence demande à l'ONU de créer un poste de haut-commissaire des Nations Unies pour le droit à l'autodétermination et d'instituer une commission dédiée à ce droit.

Si je suis en Suisse, mon cœur est pourtant dans mon pays du Québec, avec Gilles Duceppe, le chef du Bloc Québécois, qui célèbre, en ce 13 août, le dixième anniversaire de son élection à la Chambre des communes. Il y a donc 10 ans déjà que le Bloc Québécois – qu'avaient créé Lucien Bouchard et sept autres députés conservateurs et libéraux dissidents – accueillait dans son minuscule caucus un nouveau venu, qui avait été élu dans la circonscription de Laurier-Sainte-Marie sous la bannière du Bloc Québécois avec 68 % des suffrages. Je sais que mes collègues et les militants du Bloc Québécois vont fêter cet anniversaire aujourd'hui et que l'événement lancera une nouvelle saison politique. Je tiens à le féliciter de vive voix, celui qui incarne la légitimité démocratique du Bloc Québécois, et lui téléphone de l'hôtel.

14 août 2000. J'aurais aimé me rendre, ce matin, au palais des Nations pour assister aux travaux de la Commission du droit international des Nations Unies à laquelle siège mon collègue Alain Pellet avec qui j'ai déjeuné à mon arrivée à Genève vendredi. C'est bien le Pellet du groupe des cinq experts sollicités par la Commission d'étude sur les questions afférentes à l'accession du Québec à la souveraineté, le même aussi qui a émis à la demande du Bloc un avis juridique sur l'avant-projet de loi sur la clarté. Un bourreau de travail, un juriste remarquable, l'un des internationalistes les plus brillants de sa génération, mais surtout un ami.

J'aurais aimé aussi entendre Érica Daes, l'ancienne présidente du Groupe de travail sur les populations autochtones, présenter à la Sous-commission des Nations Unies sur la protection des minorités et contre la discrimination raciale un rapport sur le mandat et les compétences du nouveau Forum permanent sur les peuples autochtones. Ce forum, dont la création a été décidée il y a quelques semaines, est appelé à devenir un organe subsidiaire du Conseil économique et social des Nations Unies.

J'aurais aimé, mais j'ai rendez-vous avec George Reid, du Parti national écossais (SNP), celui-là même qui avait affirmé pendant la célèbre conférence de Mont-Tremblant que la règle du 50 % + 1 serait applicable à un référendum sur l'indépendance de l'Écosse et qui a présenté la veille un remarquable rapport de synthèse de la conférence. C'est d'ailleurs à la suite d'une intervention de celui-ci en séance plénière que j'ai rédigé, avec l'aide de son adjointe parlementaire, un projet de résolution qui contribuera au succès de cette conférence. Cette collaboration fait dire à George Reid qu'il s'agit d'un premier exemple de diplomatie commune Québec-Écosse qui semble produire d'heureux résultats.

Je veux lui parler de l'évolution de la situation en Écosse et de son Parti national écossais. Je veux aussi savoir comment se porte, un an après sa création, le nouveau Parlement écossais, et comment s'organisent ses membres. Je veux notamment savoir s'il y a une différence de statut entre les députés qui ont été élus sur la base d'une circonscription et ceux qui l'ont été à partir d'une liste, sur une base régionale (je devrais dire ceux et celles, surtout dans ce dernier cas, car le scrutin de liste a contribué à faire élire près de 40 % de femmes au Parlement écossais). Je l'interroge sur le processus législatif et sur le rôle des comités parlementaires dans l'adoption des lois écossaises. Je veux aussi savoir si le Scottish Executive a des relations internationales. Je veux enfin savoir si les Écossais accéderont à la souveraineté avant les Québécois.

Les réponses sont celles d'un homme politique d'expérience. George Reid est député depuis plus 30 ans et l'a été au parlement de Westminster avant de l'être au Parlement écossais. Il est aujourd'hui le *deputy presiding officer* (vice-président) du

Parlement écossais. Et il a des réponses à toutes les questions.

Les députés de liste et les députés territoriaux ont le même statut, le Parlement l'a proclamé dès sa première séance. Le sont-ils en droits et en privilèges ? Un peu moins, car le Parlement alloue un budget plus important aux députés de circonscription pour l'établissement de leurs bureaux. Aurait-il été préférable que l'Écosse se dote – j'y pense pour le Québec souverain – d'une seconde Chambre (*a Chamber of second sober thought !*) dont les membres seraient élus à la proportionnelle et qui auraient une fonction quelque peu différente de celle des députés de circonscription élue appartenant à l'autre Chambre. Non, dit-il, l'ancien Parlement écossais était « unicaméral », le nouveau l'est aussi et devrait le demeurer.

Le *sober thought* se produit en aval et non pas en amont du processus législatif, m'explique-t-il, car les projets de loi écossais, qu'ils relèvent de l'initiative gouvernementale ou de l'initiative parlementaire, sont examinés sous forme d'avant-projets de loi, accompagnés d'un *explanatory memorandum* détaillé préparé par des comités parlementaires (il y en a 16 au Parlement écossais). Et ce n'est qu'après un tel examen qu'un projet de loi peut être déposé pour une première lecture et être renvoyé de nouveau à un comité parlementaire. Des experts sont associés étroitement aux travaux des comités, mais sans en être membres, contrairement à ce que proposait le très fouillé rapport sur l'institution du nouveau Parlement écossais auquel George Reid me confie avoir consacré 18 mois de sa vie.

Le Scottish Executive a plus de relations européennes que de relations internationales et a établi une délégation à Bruxelles auprès de l'Union européenne. Mais, à l'opposé du Québec, il n'a aucune délégation dans d'autres capitales du monde, et Georges Reid doute que l'actuel Scottish Executive travailliste veuille établir des délégations écossaises à l'étranger.

Pour ce qui est de l'indépendance de l'Écosse, c'est moi qui lui dis que j'espère que le Québec devancera l'Écosse dans la course pour la souveraineté politique et lui fais savoir mon optimisme à cet égard. Je lui dis que, si le Québec réussit, l'Écosse réussira à coup sûr. Et si l'Écosse réussit avant le Québec, ce dernier suivra peu après. Et, pour réussir, je suggère à mon collègue d'examiner avec soin l'idée de créer un Bloc écossais plutôt que de confier le soin de continuer de faire élire des députés du Scottish National Party à Westminster. D'ailleurs, il est inquiet pour la prochaine élection générale au Royaume-Uni dont la tenue aura vraisemblablement lieu en 2001. Et, selon lui, la progression de l'appui populaire du Scottish National Party ne voudra pas nécessairement dire une augmentation du nombre de sièges pour lui au parlement de Londres. Les Écossais semblent penser – les sondages l'indiquent – qu'il est moins nécessaire d'élire des députés du SNP à Westminster maintenant que l'Écosse a son propre parlement où le SNP peut siéger et y faire la promotion de son option indépendantiste. *What are they doing there anyway ?* se demandent certains Écossais. Je lui dis que nous faisons face au même problème, mais que nous avons su, grâce à l'existence d'un parti distinct, maintenir nos appuis et convaincre les Québécois que c'est nous, du Bloc Québécois, qui pouvons le mieux défendre les intérêts des Québécois au Parlement central. Il m'affirme avoir été le promoteur de la création d'un Bloc écossais, mais que son parti ne l'a pas suivi sur cette route. Pour mémoire, je lui rappelle que René Lévesque n'aimait guère l'idée non plus. Cependant, aujourd'hui, il serait sans doute un chaud partisan du Bloc, comme le sont tant de Québécois.

Je dois me préparer à rentrer dans le pays de ces Québécois justement. Et je ferai escale à Paris, au pays de l'un de mes ancêtres !

15 août 2000. En me levant ce matin, j'ai une pensée pour mes amis acadiens, comme je le fais tous les 15 août. C'est

leur fête nationale, une fête nationale qu'ils ont, eux aussi, du mal à faire reconnaître par les autorités canadiennes. Ainsi, en dépit d'un engagement à cet effet, Sheila Copps a omis de mentionner cette fête dans ses calendriers de l'année 2000. Elle a corrigé le tir après les interventions de nos collègues acadiens en Chambre, ainsi que celles du Bloc. Les Acadiens fêteront partout, au Nouveau-Brunswick et dans l'Atlantique, en Louisiane même. Ils fêteront aussi au Québec. Aux Îles-de-la-Madeleine, entre autres. J'ai d'ailleurs un souvenir du tricolore acadien et de sa petite étoile jaune qui représente la protection de Marie (la Marie de l'*Ave Maris Stella* que chanteront aussi les Acadiens dont c'est l'hymne national) flottant partout à Havre-Aubert un jour de fête nationale il y a trois ans, alors que j'étais en vacances dans les Îles. Or même leur drapeau est mal accepté. Je viens d'entendre aux nouvelles que, lorsque les Acadiens le hisseront sur le parlement du Nouveau-Brunswick (la seule province bilingue du Canada, lit-on dans le rappel historique du petit catéchisme fédéral), des militants de l'*Anglo-Society* leur lanceront des quolibets. Et je lis dans *La Presse*, sous la signature d'André Pépin qui écrit de Caraquet, que « le premier ministre du Nouveau-Brunswick, Bernard Lord, malgré des racines françaises très évidentes, ne prononce jamais le mot Acadie dans ses interventions officielles » et qu'il « n'a émis aucun commentaire spécial pour la fête des Acadiens ». Voilà le pays de la liberté et de la tolérance de Jean Chrétien, Stéphane Dion et de leurs alliés !

J'ai rendez-vous ce matin avec mon ami Roger Lapointe, un cardiologue qui vit paisiblement dans sa magnifique maison de la baie des Affamés, mieux connue comme la *Hungry Bay*. Il y écrit ses mémoires. J'ai enfourché mon vélo et je me suis rendu d'une baie à l'autre tout à l'heure. De la baie des Brises à la baie des Affamés, à Saint-Stanislas-de-Kostka, dans ma circonscription de Beauharnois-Salaberry. Le maïs est en pleine croissance le long du chemin de la baie et est bordé par des salicaires (*Lythrum salicaria*), ces belles fleurs de couleur pourpre dont je me promets de me faire un bouquet à mon retour. Je veux voir le Dr Lapointe pour lui dire que notre rencontre inspirera la fin de mon essai sur l'offensive d'Ottawa contre le Québec.

Ainsi, pour le lecteur, ce livre aura commencé par une couverture qui montre une jeune femme bâillonnée, représentant la nation québécoise, qui, par son regard, refuse ce bâillon. Elle croit tout au contraire que la nation québécoise existe et sera bientôt libre. Et il se termine, pour moi, avec le regard d'un homme de 77 ans qui a toujours l'œil vif, qui a sauvé tant de vies, a jadis milité pour le Bloc populaire et a aujourd'hui confiance en son député du Bloc Québécois. Un homme sage, qui m'inspire, comme nous devrions l'être par tous ceux et toutes celles qui ont construit le Québec et qui lui prédisent, comme le Dr Lapointe, un grand avenir.

Baie-des-Brises, Québec, le 15 août 2000

ANNEXE 1

Loi C-20

Loi donnant effet à l'exigence de clarté formulée par la Cour suprême du Canada dans son avis sur le Renvoi sur la sécession du Québec

Adoptée par la Chambre des communes le 15 mars 2000 et par le Sénat le 29 juin 2000. Sanctionnée le 29 juin.

Attendu :

que la Cour suprême du Canada a confirmé que ni l'Assemblée nationale, ni la législature, ni le gouvernement du Québec ne dispose, en droit international ou au titre de la Constitution du Canada, du droit de procéder unilatéralement à la sécession du Québec du Canada ;

que toute proposition relative au démembrement d'un État démocratique constitue une question extrêmement grave et est d'une importance fondamentale pour l'ensemble des citoyens de celui-ci ;

que le gouvernement d'une province du Canada est en droit de consulter sa population par référendum sur quelque sujet que ce soit et de décider du texte de la question référendaire ;

que la Cour suprême du Canada a déclaré que les résultats d'un référendum sur la sécession d'une province du Canada ne sauraient être considérés comme l'expression d'une volonté démocratique créant l'obligation d'engager des négociations pouvant mener à la sécession que s'ils sont dénués de toute ambiguïté en ce qui concerne tant la question posée que l'appui reçu ;

qu'elle a déclaré que le principe de la démocratie signifie davantage que la simple règle de la majorité, qu'une majorité claire en faveur de la sécession serait nécessaire pour que naisse l'obligation de négocier la sécession et que c'est une majorité claire au sens qualitatif, dans les circonstances, dont il faut déterminer l'existence ;

qu'elle a confirmé qu'au Canada, la sécession d'une province, pour être légale, requerrait une modification à la Constitution du Canada, qu'une telle modification exigerait forcément des négociations sur la sécession auxquelles participeraient notamment les gouvernements de l'ensemble des provinces et du Canada, et que ces négociations seraient régies par les principes du fédéralisme, de la démocratie, du constitutionnalisme et de la primauté du droit, et de la protection des minorités ;

que, compte tenu du fait que la Cour suprême du Canada a conclu qu'il revient aux représentants élus de déterminer en quoi consistent une question et une majorité claires dans le cadre d'un référendum sur la sécession tenu dans une province, la Chambre des communes, seule institution politique élue pour représenter l'ensemble des Canadiens, a un rôle important à jouer pour déterminer en quoi consistent une question et une majorité suffisamment claires pour que le gouvernement du Canada engage des négociations sur la sécession d'une province du Canada ;

que le gouvernement du Canada se doit de n'engager aucune négociation pouvant mener à la sécession d'une province du Canada et, par conséquent, au retrait de la citoyenneté et à l'annulation des autres droits dont jouissent, à titre de Canadiens à part entière, les citoyens du Canada qui résident dans la province, à moins que la population de celle-ci n'ait déclaré clairement et de façon démocratique qu'elle veut que la province fasse sécession du Canada,

Sa Majesté, sur l'avis et avec le consentement du Sénat et de la Chambre des communes du Canada, édicte :

1. (1) Dans les trente jours suivant le dépôt à l'assemblée législative d'une province, ou toute autre communication officielle, par le gouvernement de cette province, du texte de la question qu'il entend soumettre à ses électeurs dans le cadre d'un référendum sur un projet de sécession de la province du Canada, la Chambre des communes examine la question et détermine, par résolution, si la question est claire.

(2) S'il coïncide, en tout ou en partie, avec la tenue d'une élection générale des députés à la Chambre des communes, le délai mentionné au paragraphe (1) est prorogé de quarante jours.

(3) Dans le cadre de l'examen de la clarté de la question référendaire, la Chambre des communes détermine si la

question permettrait à la population de la province de déclarer clairement si elle veut ou non que celle-ci cesse de faire partie du Canada et devienne un État indépendant.

(4) Pour l'application du paragraphe (3), la question référendaire ne permettrait pas à la population de la province de déclarer clairement qu'elle veut que celle-ci cesse de faire partie du Canada dans les cas suivants:

> *a*) elle porte essentiellement sur un mandat de négocier sans requérir de la population de la province qu'elle déclare sans détour si elle veut que la province cesse de faire partie du Canada;
> *b*) elle offre, en plus de la sécession de la province du Canada, d'autres possibilités, notamment un accord politique ou économique avec le Canada, qui rendent ambiguë l'expression de la volonté de la population de la province quant à savoir si celle-ci devrait cesser de faire partie du Canada.

(5) Dans le cadre de l'examen de la clarté de la question référendaire, la Chambre des communes tient compte de l'avis de tous les partis politiques représentés à l'assemblée législative de la province dont le gouvernement propose la tenue du référendum sur la sécession, des résolutions ou déclarations officielles des gouvernements ou assemblées législatives des provinces et territoires du Canada, des résolutions ou déclarations officielles du Sénat, des résolutions ou déclarations officielles des représentants des peuples autochtones du Canada, en particulier ceux de cette province, et de tout autre avis qu'elle estime pertinent.

(6) Le gouvernement du Canada n'engage aucune négociation sur les conditions auxquelles une province pourrait cesser de faire partie du Canada si la Chambre des communes

conclut, conformément au présent article, que la question référendaire n'est pas claire et, par conséquent, ne permettrait pas à la population de la province de déclarer clairement si elle veut ou non que celle-ci cesse de faire partie du Canada.

2. (1) Dans le cas où le gouvernement d'une province, après la tenue d'un référendum sur un projet de sécession de celle-ci du Canada, cherche à engager des négociations sur les conditions auxquelles la province pourrait cesser de faire partie du Canada, la Chambre des communes, sauf si elle a conclu conformément à l'article 1 que la question référendaire n'était pas claire, procède à un examen et, par résolution, détermine si, dans les circonstances, une majorité claire de la population de la province a déclaré clairement qu'elle veut que celle-ci cesse de faire partie du Canada.

(2) Dans le cadre de l'examen en vue de déterminer si une majorité claire de la population de la province a déclaré clairement qu'elle voulait que celle-ci cesse de faire partie du Canada, la Chambre des communes prend en considération :

a) l'importance de la majorité des voix validement exprimées en faveur de la proposition de sécession ;
b) le pourcentage des électeurs admissibles ayant voté au référendum ;
c) tous autres facteurs ou circonstances qu'elle estime pertinents.

(3) Dans le cadre de l'examen en vue de déterminer si une majorité claire de la population de la province a déclaré clairement qu'elle voulait que celle-ci cesse de faire partie du Canada, la Chambre des communes tient compte de l'avis de tous les partis politiques représentés à l'assemblée

législative de la province dont le gouvernement a proposé la tenue du référendum sur la sécession, des résolutions ou déclarations officielles des gouvernements ou assemblées législatives des provinces et territoires du Canada, des résolutions ou déclarations officielles du Sénat, des résolutions ou déclarations officielles des représentants des peuples autochtones du Canada, en particulier ceux de cette province, et de tout autre avis qu'elle estime pertinent.

(4) Le gouvernement du Canada n'engage aucune négociation sur les conditions auxquelles la province pourrait cesser de faire partie du Canada, à moins que la Chambre des communes ne conclue, conformément au présent article, qu'une majorité claire de la population de cette province a déclaré clairement qu'elle veut que celle-ci cesse de faire partie du Canada.

3. (1) Il est entendu qu'il n'existe aucun droit, au titre de la Constitution du Canada, d'effectuer unilatéralement la sécession d'une province du Canada et que, par conséquent, la sécession d'une province du Canada requerrait la modification de la Constitution du Canada, à l'issue de négociations auxquelles participeraient notamment les gouvernements de l'ensemble des provinces et du Canada.

(2) Aucun ministre ne peut proposer de modification constitutionnelle portant sécession d'une province du Canada, à moins que le gouvernement du Canada n'ait traité, dans le cadre de négociations, des conditions de sécession applicables dans les circonstances, notamment la répartition de l'actif et du passif, toute modification des frontières de la province, les droits, intérêts et revendications territoriales des peuples autochtones du Canada et la protection des droits des minorités.

ANNEXE 2

Projet de loi nº 99

Loi sur l'exercice des droits fondamentaux
et des prérogatives du peuple québécois
et de l'État du Québec

Adopté en deuxième lecture par l'Assemblée nationale du Québec le 30 mai 2000.

CONSIDÉRANT que le peuple québécois, majoritairement de langue française, possède des caractéristiques propres et témoigne d'une continuité historique enracinée dans son territoire sur lequel il exerce ses droits par l'entremise d'un État national moderne doté d'un gouvernement, d'une assemblée nationale et de tribunaux indépendants et impartiaux ;

CONSIDÉRANT que l'État du Québec est fondé sur des assises constitutionnelles qu'il a enrichies au cours des ans par l'adoption de plusieurs lois fondamentales et par la création d'institutions démocratiques qui lui sont propres ;

CONSIDÉRANT l'entrée du Québec dans la fédération canadienne en 1867 ;

CONSIDÉRANT l'engagement résolu du Québec à respecter les droits et libertés de la personne ;

CONSIDÉRANT l'existence au sein du Québec des nations abénaquise, algonquine, attikamek, crie, huronne, innue, malécite, micmaque, mohawk, naskapi et inuit et les principes associés à cette reconnaissance énoncés dans la résolution du 20 mars 1985 de l'Assemblée nationale, notamment leur droit à l'autonomie au sein du Québec ;

CONSIDÉRANT l'existence d'une communauté québécoise d'expression anglaise jouissant de droits consacrés ;

CONSIDÉRANT que le Québec reconnaît l'apport des Québécoises et des Québécois de toute origine à son développement ;

CONSIDÉRANT que l'Assemblée nationale est composée de députés élus au suffrage universel par le peuple québécois et qu'elle tient sa légitimité de ce peuple dont elle constitue le seul organe législatif qui lui soit propre ;

CONSIDÉRANT qu'il incombe à l'Assemblée nationale, en tant que dépositaire des droits et des pouvoirs historiques et inaliénables du peuple québécois, de le défendre contre toute tentative de l'en spolier ou d'y porter atteinte ;

CONSIDÉRANT que l'Assemblée nationale n'a pas adhéré à la Loi constitutionnelle de 1982, adoptée malgré son opposition ;

CONSIDÉRANT que le Québec fait face à des gestes du gouvernement fédéral, dont une initiative législative, qui mettent en cause la légitimité, l'intégrité et le bon fonctionnement de ses institutions démocratiques nationales ;

CONSIDÉRANT qu'il y a lieu de réaffirmer le principe fondamental en vertu duquel le peuple québécois est libre d'assumer son propre destin, de déterminer son statut politique et d'assurer son développement économique, social et culturel ;

CONSIDÉRANT que, par le passé, ce principe a trouvé à plusieurs reprises application, plus particulièrement lors des référendums tenus en 1980, 1992 et 1995 ;

CONSIDÉRANT l'avis consultatif rendu par la Cour suprême du Canada le 20 août 1998 et la reconnaissance par le gouvernement du Québec de son importance politique ;

CONSIDÉRANT qu'il est nécessaire de réaffirmer les acquis collectifs du peuple québécois, les responsabilités de l'État du Québec ainsi que les droits et les prérogatives de l'Assemblée nationale à l'égard de toute question relative à l'avenir de ce peuple ;

LE PARLEMENT DU QUÉBEC DÉCRÈTE CE QUI SUIT :

Chapitre I
DU PEUPLE QUÉBÉCOIS

1. Le peuple québécois peut, en fait et en droit, disposer de lui-même. Il est titulaire des droits universellement reconnus en vertu du principe de l'égalité de droits des peuples et de leur droit à disposer d'eux-mêmes.

2. Le peuple québécois a le droit inaliénable de choisir librement le régime politique et le statut juridique du Québec.

3. Le peuple québécois détermine seul, par l'entremise des institutions politiques qui lui appartiennent en propre, les modalités de l'exercice de son droit de choisir le régime politique et le statut juridique du Québec.

Toute condition ou modalité d'exercice de ce droit, notamment la consultation du peuple québécois par un référendum, n'a d'effet que si elle est déterminée suivant le premier alinéa.

4. Lorsque le peuple québécois est consulté par un référendum tenu en vertu de la Loi sur la consultation populaire, l'option gagnante est celle qui obtient la majorité des votes déclarés valides, soit cinquante pour cent de ces votes plus un vote.

Chapitre II
De l'État du Québec

5. L'État du Québec tient sa légitimité de la volonté du peuple qui habite son territoire.

Cette volonté s'exprime par l'élection au suffrage universel de députés à l'Assemblée nationale, à vote égal et au scrutin secret en vertu de la Loi électorale ou lors de référendums tenus en vertu de la Loi sur la consultation populaire.

La qualité d'électeur est établie selon les dispositions de la Loi électorale.

6. L'État du Québec est souverain dans les domaines de compétence qui sont les siens dans le cadre des lois et des conventions de nature constitutionnelle.

Il est également détenteur au nom du peuple québécois de tout droit établi à son avantage en vertu d'une convention ou d'une obligation constitutionnelle.

Le gouvernement a le devoir de soutenir l'exercice de ces prérogatives et de défendre en tout temps et partout leur intégrité, y compris sur la scène internationale.

7. L'État du Québec est libre de consentir à être lié par tout traité, convention ou entente internationale qui touche à sa compétence constitutionnelle.

Dans ses domaines de compétence, aucun traité, convention ou entente ne peut l'engager à moins qu'il n'ait formellement signifié son consentement à être lié par la voix de l'Assemblée nationale ou du gouvernement selon les dispositions de la loi.

Il peut également, dans ses domaines de compétence, établir et poursuivre des relations avec des États étrangers et des organisations internationales et assurer sa représentation à l'extérieur du Québec.

8. Le français est la langue officielle du Québec.

L'État du Québec doit en favoriser la qualité et le rayonnement.

Il poursuit ces objectifs dans un esprit de justice et d'ouverture, dans le respect des droits consacrés de la communauté québécoise d'expression anglaise.

Le statut de la langue française au Québec ainsi que les devoirs et obligations s'y rattachant sont établis par la Charte de la langue française.

Chapitre III
Du territoire québécois

9. Le territoire du Québec et ses frontières ne peuvent être modifiés qu'avec le consentement de l'Assemblée nationale.

Le gouvernement doit veiller au maintien et au respect de l'intégrité territoriale du Québec.

10. L'État du Québec exerce sur le territoire québécois et au nom du peuple québécois tous les pouvoirs liés à sa compétence et au domaine public québécois.

L'État peut aménager, développer et administrer ce territoire et plus particulièrement en confier l'administration déléguée à des entités locales ou régionales mandatées par lui, le tout conformément à la loi. Il favorise la prise en charge de leur développement par les collectivités locales et régionales.

Chapitre IV
Des nations autochtones du Québec

11. L'État du Québec reconnaît, dans l'exercice de ses compétences constitutionnelles, les droits existants – ancestraux ou issus de traités – des nations autochtones du Québec.

12. Le gouvernement s'engage à promouvoir l'établissement et le maintien de relations harmonieuses avec ces nations et à favoriser leur développement ainsi que l'amélioration de leurs conditions économiques, sociales et culturelles.

Chapitre V
Dispositions finales

13. Aucun autre parlement ou gouvernement ne peut réduire les pouvoirs, l'autorité, la souveraineté et la légitimité de l'Assemblée nationale ni contraindre la volonté démocratique du peuple québécois à disposer lui-même de son avenir.

14. La présente loi entre en vigueur le (*indiquer ici la date de la sanction de la présente loi*).

ANNEXE 3

Le Québec est libre
La nation québécoise est souveraine

Déclaration solennelle du Bloc Québécois
rédigée par Daniel Turp
et lue lors du Conseil général spécial
du Bloc Québécois à Ottawa le 16 mars 2000

Nous, du Bloc Québécois,
dont les représentants sont démocratiquement
élus au Parlement canadien ;

Nous, du Bloc Québécois,
détenteurs au sein du Parlement canadien
de la majorité des sièges du Québec ;

Nous, du Bloc Québécois,
défenseurs des intérêts du Québec
et de la démocratie québécoise ;

Nous, du Bloc Québécois,
affirmons que la loi C-20 est antidémocratique et dénuée
de toute légitimité sur le territoire du Québec ;

Nous, du Bloc Québécois,
affirmons que le processus antidémocratique qui a conduit
à l'adoption de la loi C-20 a confirmé le caractère illégitime
de cette loi ;

Nous, du Bloc Québécois,
accusons le premier ministre du Canada Jean Chrétien
de vouloir usurper la liberté du Québec de maîtriser
son destin collectif ;

Nous, du Bloc Québécois,
accusons l'architecte du plan B et ministre des Affaires
intergouvernementales Stéphane Dion
de vouloir emprisonner le Québec dans le Canada ;

Nous, du Bloc Québécois,
déplorons le fait que la majorité des députés du reste
du Canada se soient montrés solidaires de Jean Chrétien
et Stéphane Dion dans leur volonté de brimer la liberté
de la nation québécoise ;

Nous, du Bloc Québécois,
constatons que l'adoption de la loi C-20 s'inscrit dans une
histoire ponctuée de coups de force contre le Québec ;

Nous, du Bloc Québécois,
réaffirmons notre allégeance au Québec
et à ses seuls intérêts ;

Nous, du Bloc Québécois,
reconnaissons que le siège de la souveraineté de la nation
québécoise réside dans ses citoyennes et ses citoyens
et s'exerce dans leur Assemblée nationale ;

Nous, du Bloc Québécois,
rappelons que le Québec est une terre de fierté,
de fraternité, de tolérance et de justice ;

Nous, du Bloc Québécois,
affirmons que le bien collectif le plus précieux pour
les Québécoises et les Québécois est la liberté et que nulle
autorité, y compris le Parlement canadien, ne saura priver
leur nation du droit de maîtriser son destin collectif ;

Nous, du Bloc Québécois,
rappelons que la Déclaration universelle des droits de l'homme,
adoptée par l'Assemblée générale des Nations Unies, stipule
que la volonté du peuple est le fondement de l'autorité
des pouvoirs publics ;

Nous, du Bloc Québécois,
croyons que notre lutte sert les générations futures
et vise à préserver
leur espace de liberté et le territoire de leur culture ;

Nous, du Bloc Québécois,
affirmons que la nation québécoise n'est inféodée
à aucune autre nation, et ne le sera jamais ;

Nous, du Bloc Québécois,
nous engageons à poursuivre le combat pour la liberté
du Québec de décider démocratiquement de son avenir
et de déterminer librement son statut politique ;

Nous, du Bloc Québécois,
invitons tous les démocrates du Québec, du Canada et
de la communauté internationale à se joindre à la nation
québécoise dans son combat pour sauvegarder
sa souveraineté et sa liberté ;

Nous, du Bloc Québécois,
affirmons que la nation québécoise est souveraine ;

Nous, du Bloc Québécois,
affirmons que le Québec est libre.

ANNEXE 4

Préparation des Chefs de Mission*
Manuel des Chefs de Mission

Ottawa, ministère des Affaires étrangères et du Commerce international. Centre de perfectionnement professionnel, 1999

---

* N.D.E. : Nous reproduisons *in extenso* ce document. Les fautes d'orthographe, de ponctuation ainsi que les coquilles ne sont pas les nôtres.

INTRODUCTION

Votre mandat :

Promouvoir les intérêts du Canada
(incluant l'unité du pays)

Votre objectif :

Donner du Canada l'image d'un pays ouvert et dynamique.

Votre défi :

Passer un message positif dans un contexte négatif.

Les obstacles :

Des affirmations erronées
Des jugements de valeur présentés comme faits
Des déclarations improuvables, tendant à établir une légitimité de fait

Votre stratégie : Pro-active.

1– occuper le terrain	être présent contrôler le contenu des échanges. intervenir immédiatement s'il y a lieu.
2– faire valoir	la bonne gouvernance du Canada le rôle du Québec dans notre politique étrangère

Vos armes :

Des faits et des chiffres vrais, prouvables.
Des affirmations positives.

Les pièges :

Se mettre sur la défensive.
Faire des phrases négatives.
Se laisser entraîner dans un débat.

Votre auditoire-cible, c'est l'interlocuteur du pays-hôte.
CE N'EST PAS le représentant pro-souverainiste en visite.

STRATÉGIE

Occuper le terrain
Bonne gouvernance

I. AFFIRMATIONS ERRONÉES :
(Les faits sont inexacts, ou ils sont exacts mais incomplets)

- Intervenir immédiatement (quitte à interrompre).
- Corriger l'erreur, avec le fait ou le chiffre juste.
- Pas de jugement de valeur. (Tout le monde peut se tromper !)

II. DÉCLARATIONS NÉGATIVES
(Le Canada est mis en accusation)

- Indiquer physiquement votre désaccord
  (Sourire, mouvement de la tête, geste, prendre des notes)
- Intervenir à la première occasion.
  Thèmes : le Canada bon gestionnaire
  coopération Canada-Québec
  esprit d'équipe

Attention ! Seulement des faits et des chiffres vérifiables
Seulement des phrases positives.

LES ARMES À ÉVITER

Ces armes se retourneront contre vous !

NE PAS DIRE :	DIRE :
Ce n'est pas vrai	C'est le contraire qui est vrai
C'est faux.	Au contraire !
Vous déformez la réalité	La réalité, c'est que…
Ce n'est pas un mensonge.	C'est la vérité.
Je ne suis pas de mauvaise foi	C'est la réalité.
Ce n'est pas un échec.	C'est un succès
Le Québec n'est pas opprimé	Le Québec est démocratique
Le Canada n'empêche pas…	Le Canada permet…

LES ARMES

LES MOTS PIÉGÉS	LES RÉPONSES
ces mots d'apparence anodine sont explosifs !	
souveraineté	sécession
séparation	sécession
inévitable inéluctable sens de l'histoire	les sondages montrent…
légitimité	les sondages montrent…
survie	les sondages montrent…
référendum démocratique	la Cour Suprême a dit…

QUELQUES DÉCLARATIONS PUBLIQUES À RELEVER

I. AFFIRMATIONS ERRONÉES

A. LES FAITS SONT INEXACTS

« La majorité des Québécois appuie la souveraineté. »

> *Les deux tiers (63 %) des Québécois ne veulent pas de sécession.*
> *Ils veulent continuer à appartenir au Canada*
> *Tous les sondages l'indiquent.*
> *Deux fois ils se sont fait poser la question.*
> *Deux fois ils ont dit non.*
> *Aux dernières élections provinciales, le gouvernement de Monsieur Bouchard s'est fait réélire après avoir rassuré la population en leur promettant qu'il ne ferait pas d'autre référendum sans être certain d'avoir des conditions gagnantes.*

« À Ottawa, tous les députés qui viennent du Québec et qui sont du côté du gouvernement se sont fait élire dans des circonscriptions anglophones. »

> *Tous les électeurs qui votent au Québec sont des Québécois.*
> *Le Québec, comme le reste du Canada, reconnaît la diversité culturelle des citoyens.*
> *Les libéraux fédéraux viennent presque tous de circonscriptions francophones.*
> *Ils ont remporté un total de 26 sièges au dernières élections générales, dont pas moins de 20 dans des comtés à majorité francophone.*

« Le gouvernement du Canada essaye de limiter les droits politiques des Québécois. »

C'est le contraire qui est vrai.
Quel autre pays aurait permis par deux fois, dans deux référendums, que les Québécois s'expriment sur l'éventualité d'une sécession ?
C'est le gouvernement fédéral qui a pris l'initiative de demander une référence à la Cour Suprême.
Et que s'est-il fait dire ? Que le Canada ne pourrait pas empêcher les Québécois de se séparer si c'est ce qu'ils veulent vraiment.
Mais il faudrait qu'on leur pose une question claire sur la sécession, qu'ils donnent une réponse claire, avec une majorité claire.
Tout ce que demande la Cour Suprême, c'est la clarté.
On ne peut pas détruire un pays dans la confusion !

B. LES FAITS SONT EXACTS MAIS INCOMPLETS
(Affirmations tendancieuses)

« Le nombre de Québécois qui appuient la souveraineté augmente régulièrement à chaque référendum :
1 485 000 en 1980
2 308 000 en 1995
Cela prouve qu'il y a là une tendance inéluctable. »

Il faut remarquer également que le nombre des Québécois qui s'opposent à la sécession augmente lui aussi à chaque référendum :
2 188 000 en 1980
2 362 000 en 1995.
C'est la population qui augmente !

« La proportion des Québécois qui appuient la souveraineté augmente régulièrement à chaque référendum :
40 % en 1980
49,4 % en 1995.
C'est une tendance inéluctable. »

La majorité des Québécois s'opposent à la sécession du Québec.
Et ils sont de plus en plus nombreux.
Aux dernières élections fédérales, les partis fédéralistes ont remporté 60 % du vote populaire au Québec
Ca représente une augmentation de 25 % par rapport aux élections précédentes (celles de 1993)

« Le Parti Québécois trouve la plus grande partie de ses appuis chez les jeunes électeurs. Donc à terme, la souveraineté est inéluctable. »

Les Québécois qui ont réélu le Parti Québécois le 30 Novembre 98 n'étaient pas en faveur de la sécession.
Ils ont bien fait savoir qu'ils ne voulaient pas de référendum.
Ils ont simplement élu un gouvernement.
70 % des gens ne veulent pas d'un troisième référendum

« Après la séparation, le Québec ne fera plus partie du G8, mais ce n'est pas une grande perte, parce que de toutes façons le Canada ne joue qu'un rôle mineur dans le G8. »

L'important, c'est d'être à la table !
Le G8 est la table de concertation par excellence.
Le Canada est fier d'en faire partie.
Les Québécois (comme les autres canadiens) bénéficient de leur appartenance à la septième puissance économique mondiale.

Avec la mondialisation, il est plus important que jamais de pouvoir exercer une influence sur les affaires internationales.

Avec la mondialisation, la coopération entre les pays du G8 prend une importance vitale.

En tant que membre du G8, le Canada apporte sa contribution aux dossiers internationaux et veille à ses propres priorités.
Les décisions du G8 sont prises par consensus.
Tous les membres ont la même importance autour de la table.

« Une fois que le Québec sera indépendant sera la quinzième puissance économique dans le monde. »

Le Québec fait actuellement partie de la septième puissance mondiale.
A ce titre, il peut faire entendre sa voix au G8 qui est l'une des instances internationales les plus influentes.
En faisant sécession, il ne ferait plus partie du G8, et il perdrait son appartenance automatique à l'ALENA, à l'APEC, au Commonwealth et à l'OTAN.

II. DÉCLARATIONS NÉGATIVES
Le Canada en accusation

« Le gouvernement Canadien ne vous dit pas toute la vérité (déforme la réalité) quand il vous parle de la situation véritable au Québec. »

> *Le gouvernement Canadien a cœur le sort de tous les Canadiens, la promotion des intérêts de toutes les parties du pays. Le Québec représente près du quart de notre pays, et il est bien évident que les intérêts du Québec sont les intérêts de tous les Canadiens.*

« L'essentiel de notre représentation internationale formelle est dominée par le Canada et ses porte-parole.
Le gouvernement Canadien et ses diplomates ne peuvent pas représenter adéquatement les intérêts du Québec à l'étranger. »

> *Savez-vous que le Premier Ministre est un québécois, le Ministre des finances est un québécois, le président du Conseil du Trésor est un québécois...*
> *En fait, près du tiers du cabinet fédéral vient du Québec.*
> *Le Gouverneur Général est un francophone, de même que le Juge en chef de la Cour suprême, le Président du Sénat, le Président de la Chambre des Communes...*
> *Quant à nos ambassadeurs à l'étranger, le tiers d'entre eux sont des francophones (34 sur 116).*
>
> *En droit, le gouvernement canadien a le mandat de défendre et de protéger la souveraineté de tout le pays, contre toutes les menaces possibles.*

« Les francophones sont une quantité négligeable dans le Ministère des Affaires Étrangères. »

Bien au contraire !
Plus du tiers de tous nos ambassadeurs à l'étranger sont des francophones. (34 sur un total de 116).
La majorité de nos ambassadeurs dans les pays du G8 sont des Québécois.
Notre ambassadeur à Washington est un québécois, à Paris aussi, en Allemagne, à Rome, à Moscou, aux Communautés Européennes, notre ambassadeur à l'OCDE est un montréalais, pour n'en nommer que quelques uns.

« Le bilinguisme officiel est un mythe. »

Le bilinguisme signifie tout simplement que chaque Canadien peut s'adresser au gouvernement fédéral dans la langue de son choix.

Il y a 8.5 millions de Canadiens qui parlent français, dont un quart vivent en dehors du Québec.

Plus de 300 000 jeunes anglophones font leurs études dans les programmes d'immersion.

Près du quart de tous les jeunes Canadiens sont bilingues.

« Le multiculturalisme a pour but de mettre en échec les aspirations des Québécois en tant que peuple fondateur. »

Le Canada a la tradition d'être un pays d'accueil.
Il favorise la diversité culturelle et linguistique, l'inclusion des minorités, et la lutte contre la discrimination.
Les gouvernements du Canada et du Québec partagent ces objectifs.
Nous constituons un modèle pour beaucoup d'autres pays.

« Ottawa exerce un impérialisme budgétaire intolérable sur le Québec. »

> *Le Canada a un système de transfert fiscaux complexes qui permettent à chaque province de dépenser l'argent qu'elles reçoivent du fédéral comme elles l'entendent.*

« Le gouvernement d'Ottawa a équilibré son budget en pelletant son déficit dans la cour des provinces. »

> *Tous les organismes internationaux (OCDE, le FMI, l'OMC) ont félicité le Canada pour ses efforts budgétaires*
> *Nous avons réussi à réduire le déficit de 42 milliards.*
> *Tout le monde au pays a du faire des sacrifices.*
> *Toutes les provinces ont fait leur part.*

« Le Canada n'est pas un véritable pays. »

> *Le Canada est une fédération, comme une vingtaine d'autress pays dans le monde.*
> *Les Québécois et les autres Canadiens vivent dans un régime fédéré, comme quarante pour cent de la population mondiale.*
> *Ils jouissent d'une grande autodétermination interne, c'est à dire qu'ils sont en mesure d'influencer activement la politique canadienne.*

« Le Canada est une expérience qui a échoué.
Le fédéralisme canadien est un échec. Ne fonctionne pas. »

> *Selon les Nations Unies, le Canada est le numéro un dans le monde pour ce qui est du développement humain.*
> *Notre Premier Ministre faisait remarquer récemment (novembre 98) que « aussi fantastique soit-il, le Canada n'est pas un ouvrage achevé ». C'est un pays en constant devenir.*

Le Canada est une des fédérations les plus décentralisées et aussi les plus souples dans le monde.
Il reconnaît le caractère distinct du Québec
(Il a été reconnu par le parlement canadien)

Le Québec a un droit de veto sur toute modification constitutionnelle
Le Canada est un pays à souveraineté partagée.
Le Québec a des pouvoirs exclusifs dans plusieurs domaines où le Canada n'a aucun droit de regard.

« Avec la mondialisation, les structures nationales telles que le Canada deviennent caduques. »

Les Québécois ont le pouvoir d'influencer les politiques supranationales du fait de leur appartenance à la septième puissance économique dans le monde.
Par exemple, nous sommes entrés dans l'ALENA dans avec des termes très favorables, avec leur appui.
Cet accord avec les Etats-Unis et le Mexique est un grand succès.
Cette zone de libre-échange est une réponse efficace au défi de la mondialisation.

« Ottawa bloque notre évolution. »

Bien au contraire.
C'est le gouvernement fédéral lui-même qui a demandé à la Cour Suprême dans quelles conditions les Québécois pourraient légitimement faire sécession.
Le gouvernement canadien reconnaît aux Québécois le droit de décider de leur avenir.
Le gouvernement fédéral a aussi la responsabilité de protéger les droits de tous les Canadiens.
Le fédéralisme canadien est l'un des plus décentralisés.

Le Québec (et les autres provinces) exercent une souveraineté totale dans plusieurs domaines tels que l'éducation.

« Nous sommes un peuple pris au piège (comme l'étaient les Etats baltes et la Slovénie, comme l'est encore l'Ecosse).
Les Québécois ne pourront pas se reposer tant qu'ils ne seront pas libres. »

Le Québec a compétence exclusive dans certains domaines tels que l'éducation, les ressources naturelles, la justice.
Le Québec a un système de droit différent du reste du Canada (le droit civil).

Le Canada est un pays à souveraineté partagée.
C'est l'une des fédérations les plus décentralisées du monde.

III. DÉCLARATIONS SUGGÉRANT LA LÉGITIMITÉ

A. INTERPRÉTATION DE L'HISTOIRE

« La souveraineté du Québec est inévitable. »
« La souveraineté va dans le sens de l'histoire. »

> *Les deux tiers des québécois sont convaincus que leur avenir économique est plus prometteur s'ils demeurent dans leur pays, le Canada.*
> *Ils nous le disent et nous le répètent dans chaque sondage.*

« Notre indépendance est nécessaire et légitime. »

> *La majorité des Québécois ne veulent pas de la sécession.*
> *70 % des Québécois ont un attachement solide au Canada.*

« Le droit des peuples à se gouverner eux-mêmes est un droit naturel. »
« La souveraineté est une question de survie. »

> *La fédération canadienne est l'une des plus flexibles du monde.*
> *Elle fournit un cadre dans lequel la spécificité québécoise peut s'épanouir.*
> *Elle sert de modèle aux autres pays.*

« Il est urgent que le Québec rejoigne le concert des nations pour défendre ses intérêts. »

> *Le Canada défend les intérêts de tous ses citoyens, y compris ceux des Québécois*

« La mondialisation donne une nouvelle urgence à notre projet national. »

> *Avec la mondialisation, il est d'autant plus important de faire partie d'une entité suffisamment puissante pour se faire entendre.*
> *Le Canada est la septième puissance économique mondiale. Il fait partie du G8, de la Francophonie, du Commonwealth, de l'ALENA, de l'APEC, de l'OEA, de l'OCDE – autant d'entrées qui constituent des avantages énormes pour les Québécois.*

PETIT RAPPEL HISTORIQUE
Vers une fédération canadienne

24 juillet 1534

Jacques Cartier prend possession du Canada, à Gaspé, au nom de François 1er.

1603-1607

Samuel de Champlain visite la Nouvelle-France en 1603, l'Acadie et les côtes de la Nouvelle-Angleterre de 1604 à 1607.

1608

Samuel de Champlain fonde Québec.

1615-16

Samuel de Champlain explore une partie des grands lacs. Il convainc Louis XIII de fonder une colonie en Nouvelle-France et se consacre à sa mise en valeur à partir de 1620.

1642

Paul de Chomedey de Maisonneuve fonde Ville-Marie, la future Montréal.

1759

Le général Wolfe défait le général Montcalm sur les Plaines d'Abraham, près de Québec.

1763

Avec la signature du Traité de Paris, 60 000 Canadiens français catholiques deviennent sujets britanniques.

1774

L'Acte de Québec garantit la liberté de culte, le droit civil français et le régime foncier seigneurial français.

1783

Près de 70 000 loyalistes émigre[...] Nouvelle-Écosse et au Canada après la Révolutio[...]

1791

L'Acte constitutionnel divis[...] Bas-Canada francophone, [...]

1840

L'Acte d'union réuni[...] qui deviennent la P[...]

1867

La *Loi constitutio*[...] rio, la Nouvelle-[...] confédération[...] relevant de la [...]

1870-1949

Le Manitoba se joint à la fédération [...] [...]vi de la Colombie-Britannique (1871), l'Ile-du-P[...] [...]ouard (1872), l'Alberta et la Saskatchewan (1905) puis Terre-Neuve (1949).

1926

Le Rapport Balfour reconnaît l'autonomie du Canada et des autres dominions autogérés de l'Empire britannique.

1931

Le Canada cesse d'être une colonie britannique avec l'adoption du Statut de Westminster.

1969

La Loi sur les langues officielles renforce l'égalité entre le français et l'anglais dans les institutions fédérales.

Le Nouveau-Brunswick reconnaît l'anglais et le français comme langues officielles, ce qui en fait la seule province canadienne officiellement bilingue.

1976

Le Parti québécois, souverainiste, est élu à la tête du gouvernement du Québec.

1980

Référendum au Québec sur la « souveraineté-association », c'est-à-dire la souveraineté politique assortie d'une association économique avec le reste du Canada. Dans une proportion de 60 (1 485 851) contre 40 (1 187 991), les électeurs québécois rejettent cette option.

1982

Avec l'accord de neuf provinces, la Constitution est transférée de la Grande-Bretagne au Canada, accompagnée d'une nouvelle Charte canadienne des droits et libertés ainsi que d'une formule d'amendement.
L'Assemblée législative du Québec refuse son assentiment, mais la Cour suprême du Canada statue que le Québec est lié par la Constitution.

1987

Le Premier ministre Mulroney et les 10 Premiers ministres provinciaux signent l'Accord du lac Meech, lequel aurait, entre autres choses, enchâssé dans la Constitution la reconnaissance du Québec comme société distincte.

1990

L'Accord du lac Meech devient caduc parce que le Manitoba et Terre-Neuve ne l'ont pas ratifié dans le délai prescrit de trois ans.

1992

L'Accord de Charlottetown est rejeté lors d'un référendum national. Il comportait un ensemble de réformes constitutionnelles, notamment l'autonomie gouvernementale pour les Autochtones, l'élection du Sénat, la garantie de 25 % des sièges à la Chambre des Communes pour le Québec, et la reconnaissance du Québec comme société distincte

4 nov 1993

Tenue d'élections générales au fédéral. Le Parti libéral est porté au pouvoir, sous la direction de Jean Chrétien, avec 177 sièges.
Le Bloc québécois forme l'Opposition officielle avec 54 sièges.
Le Parti réformiste obtient 52 sièges, le NDP 9, le PC 2, et un candidat indépendant est élu.
Le taux de participation est de 69,6 % (13 863 135 électeurs).

12 sept 1994

Tenue d'élections générales au Québec.
Le Parti québécois, séparatiste, est porté au pouvoir, sous la direction de Jacques Parizeau, même s'il n'obtient que 44,8 % des suffrages, soit seulement 0,4 % de plus que le Parti libéral du Québec, à 44,4 %.
Le taux de participation s'établit à 82 %.

30 oct 1995

Lors d'un référendum, les électeurs québécois rejettent par une infime majorité un projet de souveraineté assorti d'une offre de partenariat économique et politique avec le reste du Canada.
Le camp du OUI obtient 49,4 % des suffrages (2 308 072 voix).
Le camp du NON obtient 50,56 % (2 360 717 voix).

Le camp du NON l'emporte ainsi par une majorité de 1,12 % ou 52 645 voix. Le taux de participation s'établit à 94,5 %.

1996

Le Parlement fédéral adopte une résolution reconnaissant le Québec comme société distincte. Cette résolution accorde un droit de veto sur les changements constitutionnels à cinq régions, à savoir le Québec, l'Ontario, la Colombie-Britannique, les Prairies, et l'Atlantique.

30 sept 1996

Le gouvernement du Canada présente à la Cour suprême un Renvoi concernant certaines questions relatives à la sécession du Québec.

2 juin 1997

Tenue d'élections générales au fédéral.
Le Parti libéral, dirigé par Jean Chrétien, est porté au pouvoir avec 155 sièges.
Le parti réformiste devient l'Opposition officielle, avec 60 sièges.
Le Bloc québécois obtient 44 sièges, le NPD 21, le PC 20, et un candidat indépendant est élu. Le taux de participation est de 66,7 %.

14 sept 1997

A Calgary, les Premiers ministres provinciaux, à l'exclusion de celui du Québec, Lucien Bouchard, et les deux leaders territoriaux conviennent à l'unanimité d'un cadre en vue de consultations publiques ouvertes sur le renforcement de la fédération canadienne et sur la reconnaissance de la place unique du Québec dans cette fédération. La « Déclaration de Calgary » est ensuite approuvée par toutes les assemblées législatives concernées.

1 oct 1997

Le ministre des Affaires intergouvernementales présente à la Chambre des communes une résolution en vue de l'adoption d'un amendement constitutionnel relatif aux écoles du Québec.
(l'amendement est exécuté le 18 novembre).

27 oct 1997

Le ministre des Affaires intergouvernementales présente à la Chambre des communes une résolution en vue de l'adoption d'un amendement constitutionnel relatif aux écoles de Terre-Neuve.

20 août 1998

La Cour suprême clarifie les règles applicables dans l'éventualité où une province chercherait à faire sécession de la fédération canadienne (suite au Renvoi présenté par le gouvernement fédéral à la Cour suprême le 30 septembre 1996).

30 nov 1998

Tenue d'élections générales au Québec. Le Parti québécois, dirigé par Lucien Bouchard, est porté au pouvoir avec 77 sièges (1 744 240 voix, ou 42,87 % des suffrages) ; le Parti libéral du Québec, dirigé par Jean Charest, obtient 47 sièges (1 771 858 voix, ou 43,55 % des suffrages) et l'ADQ de Mario Dumont, 1 siège (480 636 voix, ou 11,81 % des suffrages).

15 déc 1998

Québec : Le Premier ministre Bouchard présente son nouveau cabinet. Louise Beaudoin devient ministre des Relations intergouvernementales.

février 1999

Québec refuse de signer l'accord sur « l'union sociale » entre les gouvernements fédéral et provinciaux, accord conclu par les Premiers Ministres des autres provinces en décembre 1997.

BIBLIOGRAPHIE

I. Monographies et ouvrages collectifs

BOUCHARD, G., *La Nation québécoise au futur et au passé*, Montréal, VLB éditeur, coll. « Balises », 1999, 160 p.

BOUCHARD, G., *Genèse des nations et cultures du monde. Essai d'histoire comparée*, Montréal, Boréal, 2000, 503 p.

BOUCHARD, L., *À visage découvert*, Montréal, Boréal, 1992, 377 p.

BURELLE, A., *Le Mal canadien. Esquisse de diagnostic et esquisse d'une thérapie*, Montréal, Fides, 1995, 239 p.

CHARRON, C. G., *La Partition du Québec. De Lord Durham à Stéphane Dion*, Montréal, VLB éditeur, coll. « Partis pris actuels », 1996, 208 p.

DION, S., *Le Pari de la franchise. Discours et écrits sur l'unité canadienne*, Montréal et Kingston, McGill-Queen's University Press, 1999, 273 p.

DRACHE, D., et R. PERIN, *Negociating with a Sovereign Quebec*, Toronto, James Lorimer & Company Publishers, 1992, 296 p.

GAGNON, A.-G., et F. ROCHER (dir.), *Répliques aux détracteurs de la souveraineté du Québec*, Montréal, VLB éditeur, coll. « Études québécoises », 1992, 512 p.

GAGNON, A.-G. (dir.), *L'Union sociale sans le Québec. Huit études sur l'entente-cadre*, Montréal, Éditions Saint-Martin, 2000, 277 p.

JOHNSON, W., *Anglophobie made in Québec*, Montréal, Stanké, 1991, 477 p.

LAFOREST, G., et R. GIBBINS (dir.), *Sortir de l'impasse. Les voies de la réconciliation*, Montréal, IRPP, 1998, 479 p.

LATOUCHE, D., *Plaidoyer pour le Québec*, Montréal, Boréal, 1995, 244 p.

LEGAULT, J., *L'Invention d'une minorité*, Montréal, Boréal, 1992, 282 p.

LÉVESQUE, R., *Attendez que je me rappelle...*, Montréal, Québec Amérique, 1986, 525 p.

LÉVESQUE, R., *Option-Québec*, précédé d'un essai d'André Bernard, Montréal, Typo, 1997, 368 p.

MARSOLAIS, C.-V., *Le Référendum confisqué. Histoire du référendum du 20 mai 1980*, Montréal, VLB éditeur, coll. « Études québécoises », 1992, 272 p.

MORIN, C., *La Dérive d'Ottawa. Catalogue commenté des stratégies, tactiques et manœuvres fédérales*, Montréal, Boréal, 1998, 112 p.

MORIN, J.-Y., et J. WOEHRLING, *Demain, le Québec... Choix politiques et constitutionnels d'un pays en devenir*, Montréal, Septentrion, 1994, 316 p.

NEWMAN, W., *Le Renvoi relatif à la sécession du Québec. La primauté du droit et la position du procureur général du Canada*, Toronto, Université York, 1999, 106 p.

PARIZEAU, J., *Pour un Québec souverain*, Montréal, VLB éditeur, coll. « Partis pris actuels », 1997, 360 p.

PARIZEAU, J., *Le Québec et la mondialisation. Une bouteille à la mer ?*, Montréal, VLB éditeur, coll. « Balises », 1998, 48 p.

PETTIGREW, P., *Pour une politique de la confiance*, Montréal, Boréal, 1999, 271 p.

SAVOIE, D. J., *Governing from the Centre. The Concentration of Power in Canadian Politics*, Toronto, University of Toronto Press, 1999, 440 p.

SEYMOUR, M., *La Nation en question*, Montréal, l'Hexagone, 1999, 208 p.

SHAW, W. F, et L. ALBERT, *Partition. The Price of Quebec's Independance : a Realistic Look at the Possibility of Quebec Separating from Canada and Becoming an Independent State*, Montréal, Thornhill Pub, 1980, 205 p.

TRUDEAU, P. E., *Le Fédéralisme et la société canadienne-française*, Montréal, HMH, 1967, 227 p.

TURP, D., *L'Avant-projet de loi sur la souveraineté du Québec. Texte annoté*, Cowansville, Éditions Yvon Blais, 249 p.

VENNE, M., (dir.), *Penser la nation québécoise...*, Montréal, Québec Amérique, 2000, 309 p.

II. Articles

AUGER, M. C., « La phase 2 du plan B », *Le Journal de Montréal*, 9 février 1998, p. 16.

BEAUDOIN, L., « Le souverainisme québécois », *Le Monde*, 10 février 2000, p. 15.

BISSONNETTE, L., « La tentation soviétique », *Le Devoir*, 23 mai 1996, p. A6.

CHARRON, C. G., « Le plan B et les cinq experts », *L'Action nationale*, janvier 1998, p. 73-78.

CLEARY, B., « Quelle sera la place des Premières Nations dans un Québec indépendant ? », *La Presse*, 5 novembre 1991.

CLEARY, B., « Le difficile portage», *La Presse*, 23, 24 et 25 octobre 1999.

COYNE, A., «The lie at the heart of the hard line: If we have ruled out secession in practice, why must we pretend to allow it in principle ? », *National Post*, 13 décembre 1999, p. A18.

DAVID, M., « Et puis Clinton vint... », *Le Soleil*, 9 octobre 1999, p. A21.

DION, J., « 1996, l'année du plan B. Ottawa nie l'existence d'une hypothèse d'affrontement direct avec le souverainisme québécois mais certains signes ne mentent pas », *Le Devoir*, 18 janvier 1997, p. A1.

DION, S., « Une question claire ne peut inclure le partenariat », *La Presse*, 24 août 1999, p. A7.

« Focus on Plan B », *Canada Watch*, août 1996, vol. 4, n°s 5-6 (avec des contributions de Peter W. Hogg, David V. J. Bell, Jane Jenson et Antonia Maioni, Patrick J. Monahan et M. Bryant, José Woehrling, Gordon Robertson, John McCallum et Judy Rebick).

GAMBLE, D., « A Canadien errant, Turp warbles in House », *The Gazette*, 17 avril 2000, p. A10.

HÉBERT, C., « Nouveaux joueurs, même patinoire », *La Presse*, 30 janvier 1996, p. B6.

JUILLARD, J., « Pour que le Québec reste libre », *Le Nouvel Observateur*, 2 mars 2000.

LÉGARÉ, A., « Représentation du Québec à l'étranger. Avec Raymond Chrétien, le plan B se poursuit à Paris », *Le Devoir*, 6 juillet 2000, p. A7.

LEGAULT, J., « Les Canadiens français », *Le Devoir*, 31 janvier 1996, p. A6.

MARISSAL, V., « Le “parrain” Jean Chrétien courtise “sa famille” des Antilles », *La Presse*, 17 avril 1999, p. B1.

MONAHAN, P. J., et M. BRYANT, « Coming to terms with plan B. Ten principles governing secession », *Commentary*, n° 83, juin 1996, 55 p.

O'NEILL, P., « Un manuel fédéral pour museler les souverainistes », *Le Devoir*, 4 septembre 1999, p. A1.

PARÉ, J., « Plan A, B, C… Cherchez l'erreur. Ce que l'on tripote pêle-mêle sous le nom de plan B amorce déjà la séparation », *L'Actualité*, 15 novembre 1996, p. 13.

PARÉ, J., « Derrière le plan B, le plan C. Le vrai plan d'Ottawa ne consiste pas à découper le Québec en tranches, mais à changer la question. Pour que le fardeau de la preuve change d'épaules », *L'Actualité*, 1er octobre 1997, p. 12.

TURP, D., « Une question claire peut inclure le partenariat », *La Presse*, 20 août 1999, p. A9.

VASTEL, M., « Qui sabote les missions à l'étranger? », *Le Droit*, 10 janvier 2000, p. 11.

VASTEL, M., « La loi C-20 mourra-t-elle au Sénat ? », *Le Droit*, 31 mai 2000, p. 26.

VENNE, M., « Quelle mouche a piqué Axworthy? », *Le Devoir*, 5 septembre 1997, p. 8.

III. AVIS JURIDIQUES*

BRUN, H., *Avis sur le sens de l'expression majorité claire dans le Renvoi sur la sécession du Québec*, 25 novembre 1999.

LAJOIE, A., *Avis sur le sens de l'expression majorité claire dans le Renvoi sur la sécession du Québec*, 7 décembre 1999.

PELLET, A., *Avis juridique sommaire sur le projet de loi donnant effet à l'exigence de clarté formulée par la Cour suprême du Canada dans son avis sur le Renvoi sur la sécession du Québec*, 14 décembre 1999.

* Ces avis sont disponibles à l'adresse daniel.turp.qc.ca.

IV. Discours**

FACAL, J., « Le côté obscur de la loi C-20 ou ce que le discours fédéral ne dit pas », allocution présentée devant le Cercle national des journalistes d'Ottawa, 2 mai 2000.

FACAL, J., « Qui a peur de la détermination démocratique des Québécois ? », allocution présentée devant le Comité législatif de la Chambre des communes chargé de l'étude du projet de loi C-20 à Ottawa, 24 février 2000.

FACAL, J., « On ne change pas les règles en cours de partie », allocution présentée au Mont-Tremblant lors de la conférence sur le fédéralisme à l'ère de la mondialisation, 5 octobre 1999.

TURP, D., « Le droit à l'autodétermination et la démocratie : la collision de la Loi sur la clarté du Canada et la Loi sur les droits fondamentaux du Québec », allocution présentée lors de la première Conférence internationale sur le droit à l'autodétermination et les Nations Unies, Genève, 12 août 2000.

TURP, D., « Le projet de loi sur la clarté. L'étoile noire du fédéralisme canadien », allocution présentée à l'occasion des Conférences spéciales 2000 au Barreau du Haut-Canada à Toronto, 9 juin 2000.

TURP, D., « Qui trompe avec sa clarté ? », allocution prononcée lors d'un débat sur la Loi sur la clarté référendaire avec le ministre des Affaires intergouvernementales Stéphane Dion, Université de Montréal, 23 mars 2000.

TURP, D., « Plaidoyer pour le retrait d'un projet de loi antidémocratique », allocution présentée lors d'un débat sur le projet de loi sur la clarté avec le ministre des Affaires intergouvernementales Stéphane Dion, Université McGill, 21 janvier 2000.

TURP, D., « Le fédéralisme : une usine à mythes », allocution présentée au Weatherhead Center of International Affairs, Université Harvard, 4 octobre 1999.

** Les discours de Joseph Facal et de Daniel Turp sont respectivement disponibles aux adresses électroniques suivantes : www.cex.gouv.qc.ca/saic et daniel.turp.qc.ca.

V. Documents parlementaires et gouvernementaux

Franck, T., et autres, « L'intégrité territoriale du Québec dans l'hypothèse de la souveraineté », dans *Commission d'études des questions afférentes à l'accession du Québec à la souveraineté. Les attributs d'un Québec souverain*, exposés et études, vol. 1, Québec, 1992, p. 377-474.

Gouvernement du Québec, *Le Québec et son territoire*, 1997, 15 p.

Gouvernement du Québec, *Le Statut politique et constitutionnel du Québec. Historique et évolution*, 1999, 43 p.

VI. Autres documents

Bloc Québécois, « Le projet de loi de Stéphane Dion : antidémocratique », *Bulletin parlementaire*, aile parlementaire du Bloc Québécois, direction des communications, janvier 2000, 4 p. ; disponible sur le site du Bloc Québécois à l'adresse www.blocquebecois.org.

Bloc Québécois, *Le Pari de la liberté*, mémoire du Bloc Québécois présenté devant la Commission permanente des institutions de l'Assemblée nationale du Québec, 14 février 2000, disponible à l'adresse daniel.turp.qc.ca.

Grand Council Of Crees, *Status and Rights of the James Bay Crees in the Context of Quebec's Secession from Canada*, Nemaska (Québec), 1992, 220 p.

Grand Council Of Crees, *Sovereign Injustice : Forcible Inclusion of the James Bay Crees and Cree Territory into a Sovereign Quebec*, Nemaska (Québec), 1995, 494 p.

Parti Québécois, *Le Québec, un nouveau pays pour un nouveau siècle*, Montréal, Parti Québécois, mai 2000, 94 p.

REMERCIEMENTS

« Il est fou », dit, un soir de juin, mon ami Jean Laframboise à des militants de ma circonscription de Beauharnois-Salaberry au terme de la première réunion d'un comité électoral visant à préparer la prochaine campagne. C'est que j'avais annoncé mon intention d'écrire un livre sur le plan B pendant l'été ! Sans doute Jean avait-il raison, d'autant plus que je promettais d'en avoir terminé la rédaction lors de la prochaine réunion de notre comité, à la mi-août. Aujourd'hui, je ne veux pas faire l'éloge de la folie, mais plutôt remercier ceux et celles qui m'ont accompagné dans cette entreprise et qui ont permis qu'elle soit menée à terme.

Mes remerciements vont d'abord à mon adjoint parlementaire, Éric Normandeau, et à mon attaché politique, Hugues Théorêt. Ceux-ci ont contribué à la rédaction de cet essai et m'ont soutenu tout au long de l'été. Je sais gré en particulier à Éric, qui m'a conseillé à toutes les étapes de la préparation de ce livre et qui a vécu comme moi l'application du plan B sur la colline parlementaire. Pour mes deux principaux collaborateurs, l'été de l'an 2000 aura aussi été l'été du plan B ! Je leur dois d'avoir réussi ce livre et je leur en suis profondément reconnaissant. Je tiens aussi à remercier mes deux autres collaboratrices, Élise Lalonde et Danyèle Fortier, qui ont « gardé le fort » à mon bureau de député et m'ont permis de terminer cet essai dans un calme relatif.

J'exprime aussi ma profonde gratitude à Pierre Graveline, directeur de VLB éditeur. Avec une patience et une compréhension hors du commun, il m'a assisté dans la phase finale et m'a permis de faire preuve – tant dans le propos que dans l'analyse – de clarté ! Merci également à Jean-Yves Soucy, directeur littéraire, ainsi qu'à toutes les personnes qui ont participé à la révision et à la saisie du manuscrit, à toute cette famille de VLB éditeur dont j'ai pu découvrir le bel esprit lors de mes visites aux bureaux de la rue de La Gauchetière.

Mes réflexions sur le plan B ont été enrichies par de multiples discussions et rencontres avec différents témoins de son application. J'ai pu ainsi en débattre avec le chef du Bloc Québécois, Gilles Duceppe, de même qu'avec mes collègues, Michel Gauthier, Stéphane Bergeron, Madeleine Dalphond-Guiral, Francine Lalonde et Pierre de Savoye. Le travail de tous les autres députés du Bloc m'a inspiré tout au long de la rédaction de cet essai et je tiens ici à leur rendre hommage. Je remercie également le directeur de la recherche du Bloc Québécois, Denis Marion, ainsi que les recherchistes Stéphane Gobeil, Jacques Hérivault et Matthieu Lequain.

J'ai aussi fait appel à la mémoire du premier ministre Lucien Bouchard, du vice-premier ministre, Bernard Landry ainsi qu'à celle des ministres Joseph Facal, Louise Beaudoin, Jacques Brossard et Sylvain Simard. J'ai pu également échanger avec des intellectuels souverainistes, notamment Daniel Latouche, Guy Lachapelle, Anne Legaré, Jacques-Yvan Morin et Michel Seymour, ce dernier m'ayant inspiré par ses *Réflexions politiques*. J'ai tenu aussi à prendre le pouls de certains acteurs et analystes de l'autre famille politique et remercie en particulier Irwin Cotler, Claude Ryan, John Parisella et Hugh Segal. J'ai aussi pensé utile d'échanger sur mon projet de livre avec quelques journalistes, qu'il s'agisse de Chantal Hébert ou Jason Moscowitz. Il va sans dire que les opinions exprimées dans le présent essai sont les miennes et qu'elles ne sauraient être attribuées à l'une ou l'autre des personnes susmentionnées…

Je tiens aussi à remercier les membres de ma famille : mes parents d'abord, à qui ce livre est dédié ; mes deux frères, Philippe et Louis, qui se sont intéressés à la progression de mes travaux, mon fils Nicolas, qui m'a traité de « nerd » pendant tout cet exercice, et ma fille Catherine, qui partage l'exaspération de cette femme en couverture du livre ; enfin ma conjointe Bartheke, dont le soutien a été constant et affectueux.

TABLE

AUTRES TITRES PARUS DANS CETTE COLLECTION

Daniel Baril, *Les Mensonges de l'école catholique. Les insolences d'un militant laïque*

Pierre Bourgault, *La Résistance. Écrits polémiques, tome 4*

Marc-François Bernier, *Les Planqués. Le journalisme victime des journalistes*

Bruno Bouchard, *Trente ans d'imposture. Le Parti libéral du Québec et le débat constitutionnel*

Claude G. Charron, *La Partition du Québec. De Lord Durham à Stéphane Dion*

Charles Danten, *Un vétérinaire en colère. Essai sur la condition animale*

Georges Dupuy, *Coupable d'être un homme. «Violence conjugale» et délire institutionnel*

Pierre Falardeau, *Les bœufs sont lents mais la terre est patiente*

Madeleine Gagnon, *Les Femmes et la guerre*

Carole Graveline, Jean Robert et Réjean Thomas, *Les Préjugés plus forts que la mort. Le sida au Québec*

Henri Lamoureux, *Le Citoyen responsable. L'éthique de l'engagement social*

Henri Lamoureux, *Les Dérives de la démocratie. Questions à la société civile québécoise*

Richard Langlois, *Requins. L'insoutenable voracité des banquiers*

Josée Legault, *Les Nouveaux Démons. Chroniques et analyses politiques*

Rodolphe Morissette, *Les Juges, quand éclatent les mythes. Une radiographie de la crise*

André Néron, *Le Temps des hypocrites*

Jacques Parizeau, *Pour un Québec souverain*

Jacques Pelletier, *Les Habits neufs de la droite culturelle. Les néo-conservateurs et la nostalgie de la culture d'un ancien régime*

André Pratte, *Les Oiseaux de malheur*

Michel Sarra-Bourret (sous la direction de), *Le Pays de tous les Québécois. Diversité culturelle et souveraineté*

Serge Patrice Thibodeau, *La Disgrâce de l'humanité. Essai sur la torture*

Pierre Vallières, *Le Devoir de résistance*

CET OUVRAGE
COMPOSÉ EN GOUDY 12 POINTS SUR 14
A ÉTÉ ACHEVÉ D'IMPRIMER
EN OCTOBRE DEUX MILLE
SUR LES PRESSES DE TRANSCONTINENTAL
DIVISION IMPRIMERIE GAGNÉ
À LOUISEVILLE
POUR LE COMPTE DE
VLB ÉDITEUR.

IMPRIMÉ AU QUÉBEC (CANADA)